GW00777443

Camilla Zanarotti

I giardini delle ville venete

Gardens of the Veneto Villas

fotografie di / photos by

Dario Fusaro

SilvanaEditoriale

Belluno
13
14
21
22
5
2
Treviso
4
12
Vicenza
15
8
6
3
7
11
9
1
10
Padova
23
24
Verona
16
Venezia
25
19
20
18
17
26
Rovigo

Sommario

Giardini tra ville e campagna. Da luoghi dell'*otium* alla villeggiatura

GIUSEPPE RALLO
Soprintendenza BB.AA.PP. Prov. Ve-Bl-Pd-Tv
Direttore del Museo di Villa Nazionale Pisani

"Per una bella e spatiosa via... tra lauri e mirti... e tra molti vaghi e ornati giardini di cedri, aranci, limoni (si accede) al nobilissimo palagio fabricato sopra un alto e eminente scoglio". Così Silvano Cataneo, membro dell'Accademia di Salò sul Garda, descrive nel 1550 la villa del letterato veronese Agostino Brenzone a Punta San Vigilio, evidenziando l'idea e l'atmosfera della villa con giardino della prima stagione di realizzazioni in tutto il territorio veneto. "Podere di spasso da gentiluomo", le definisce Anton Francesco Doni ne' *Le ville* del 1566 segnalando, tra le altre cose, quegli elementi della villa che ne permettono l'integrazione con il giardino e con la circostante campagna, come le logge, i cortili e le terrazze. Riparo dai traffici urbani, luogo della riflessione, della cura del corpo e della mente, non necessariamente legate, in un primo momento, a quell'imprenditoria agricola che comunque si delinea già come naturale futuro di quelle prime esperienze di villa, che troverà piena espressione dalla metà del XVI secolo in poi. Giardini di "delizia" ricchi di alberi e fiori, di frutti per gli indugi nella pace agreste, per le passeggiate, che presto si trasformeranno nei luoghi in cui la "vita sobria" si intreccerà alla "santa agricoltura", presupposto per divenire veri dispositivi di paesaggio.

I giardini delle numerosissime ville venete, nonostante le alterne fortune degli ultimi due secoli, connotano ancora oggi ampi paesaggi di pianura e di collina, importanti vie d'acqua e strade storiche, le campagne e le rive dei laghi rendendoli unici e riconoscibili e costituendo una delle componenti più significative del carattere di questa regione. La singolarità compositiva è stata declinata da architetti e proprietari nel corso di quattro secoli ed espressa da un lato proprio nel modo di integrarsi e rapportarsi con il paesaggio e con la sua struttura, e dall'altro nel costante sforzo per soddisfare l'utile e il diletto. Ciò fa dei giardini di villa un patrimonio singolare e irrinunciabile che supera la dimensione del "bello di natura disegnato" per assumere quella di autentico documento della cultura veneta.

Giardino, villa e paesaggio costituiscono "momenti complementari e inseparabili" in grado di orientare la forma dei territori. Li potremmo definire veri

e propri generatori di paesaggio, riscattandoli dal ruolo di complemento della villa, dal momento che quasi sempre costituiscono elementi di mediazione tra l'architettura della residenza e la rete viaria e idraulica circostante.
Erano ampi e fortemente connotati da un disegno rigorosamente geometrico laddove lo spazio e la campagna non erano considerati degni dello sguardo del proprietario, piccoli e preziosi, laddove, invece, le colline o i monti, l'acqua o i boschi entravano direttamente a far parte della bellezza del giardino. Nonostante molti di questi giardini fossero composti quasi esclusivamente da materiali vegetali, e di conseguenza particolarmente soggetti a mutazioni, a perdita di disegno o ad adeguamenti alla mutata idea di natura, nel visitarli oggi si coglie una sorprendente ricchezza di motivi, di assonanze, di accostamenti e di forme spesso dovuta proprio alla loro capacità di sommare nella versione odierna elementi, parti, decorazioni scultoree, edifici, serre, alberi e arbusti che raccontano sia il tempo che la storia delle famiglie che li hanno abitati e frequentati. Tra il XV e il XVI secolo nei giardini di villa, memori della esperienza dei primi giardini lagunari alla Giudecca o a Murano, il disegno era nella maggior parte dei casi organizzato e ottenuto tramite pergole di viti e gelsomini, spalliere di frutti e fiori contro i muri d'ambito, per poi accogliere, successivamente, sieponi, grandi aiuole e poi *parterres* di fiori, *broderies*, architetture vegetali quali labirinti, teatri di verzura, gallerie di rose e di agrumi, carpinate. Dalla seconda metà del XVI secolo non mancano comunque frutteti e vigne, *potagers* vicini a schiere di statue e vasi, fontane e talvolta complesse architetture vegetali, ma solo in qualche caso, e generalmente in collina o nei pendii, si ritrovavano spazi definiti da strutture murarie e scalee come per esempio a villa Verità a S. Pietro di Lavagno, o a villa Trento da Schio a Costozza di Longare o ancora a villa Rovero Bonotto a S. Zenone degli Ezzelini, a villa della Torre a Fumane e in molti altri casi in cui il giardino si è adattato alle superfici in pendenza. Certo non mancano esempi di raffinate realizzazioni di architetture e padiglioni, fondali e ninfei, grotte e messinscene ottocentesche, serre e conserve per piante rare e agrumi, dal giardino Giusti a Verona alla grande peschiera di villa Scopoli, ai raffinati padiglioni e macchine sceniche della villa Pisani di Stra, dal ninfeo di villa Barbaro a Maser a quello di villa Barbini ad Asolo, e l'elenco si potrebbe ampliare notevolmente soprattutto nei giardini realizzati dal XVII secolo in poi. Emblematico in tal senso è il progetto per la villa Soranzo a Fiesso d'Artico sulla Riviera del Brenta, firmato dall'architetto veneziano Antonio Gaspari e conservato al Museo Correr di Venezia, dove i temi propri del giardino veneto assumono un carattere fortemente ornamentale ospitando al suo interno fontane con zampilli d'acqua, una grande rotonda con *parterre en broderie*, delimitato da balaustre con statue, un odeo ellittico con un oculo centrale da cui entra la luce per "godere l'Armonia in perfezione", una cedrara doppia "con suo passeggio nobile fronzuto" al termine della quale era prevista una grotta con zampilli. Un progetto distante dai primi giardini di villa. Ora il piacere è legato al capriccio, all'originalità dei motivi ornamentali, a un programma iconografico e simbolico che richiama miti e deità, idee e virtù dei proprietari prima della stagione dell'ostentazione annunciata già da Vincenzo Scamozzi che per primo affermerà che

"i giardini, quanto più sono grandi, e spaziosi rendono maggior honorevolezza alla casa; e massime se vi sono fonti d'acqua viva e pergolati". Articolati e di particolare originalità, non vanno dimenticate le numerose "follies" che da Jappelli fino al Caregaro Negrin hanno contribuito a creare scene e suggestivi quanto sublimi paesaggi romantici, inseriti nelle numerose composizioni che nel XIX secolo hanno preso il posto dei giardini regolari preesistenti. Le architetture neomedievali di villa Brusoni Scalella Dolo, o quelli originali quanto fragili di villa Marchiori a Lendinara fino al Castelletto del Belvedere a Mirano con lo straordinario corredo di grotte apparentemente sotterraneo, o lo straordinario complesso di grotte del parco di villa Papafava a Frassanelle sono solo alcuni esempi di un patrimonio straordinario che oggi abbiamo il dovere di conservare.
Dall'*otium* letterario, dal piacere della conversazione colta e serena tra i profumi delle spalliere e delle pergole, cui comunque si integrava il *negotium* al gioco, alla sorpresa che confina con la meraviglia dei giardini seicenteschi quali per esempio quello dei Barbarigo a Valsanzibio, uno dei giardini meglio conservati della regione, dove sono ancora riconoscibili, nonostante le trasformazioni del XIX secolo, l'impianto originario e molti dei suoi elementi secenteschi. Questo giardino si mostra oggi come un giardino fatto di sieponi di bossi, di prati, di fiori e di acqua che in ogni punto ti accompagna e, in qualche modo, ti sorprende.
Il giardino della villa veneta è qualcosa di più di un complemento che adorna l'edificio. È spesso generato dall'incontro delle geometrie che vengono dall'architettura e da quelle che arrivano dalla campagna e si incrociano proprio nel suo disegno realizzando così una strettissima simbiosi di direttrici, viste, orientamenti. Dall'incontro di queste due geometrie si struttura il giardino, come mostrano per esempio le incisioni della villa Sagredo a Marocco di Mogliano, pubblicata da Paolo Bartolomeo Clarici nel suo *Istoria e coltura delle piante* del 1726. Qui l'estensione e il disegno del giardino fanno sì che la villa e le sue barchesse siano sostanzialmente una parte della composizione generale, certamente riferimento privilegiato e primario, ma comunque uno degli elementi di quel grande spazio disegnato. Questo è quasi esclusivamente realizzato da vegetali, sculture e vasi su un terreno pianeggiante dove un lungo vialone, prima e dopo, annunciava il grande giardino e lo intrecciava con il vasto sistema del Terraglio e del territorio agricolo. Spesso a testimoniare l'estensione del giardino è rimasto il muro di cinta che lo delimitava. Emblematico è il caso della villa Garzoni a Pontecasale del Sansovino, o ancora quello che circonda la villa dei Vescovi a Luvigliano e più tardi la villa Widmann Borletti a Bagnoli e tanti altri esempi ancora. In moltissimi esempi il muro di cinta è ornato da imponenti o originali portali, più o meno elaborati che contribuiscono a individuare la villa nel paesaggio. Non è un caso che il tema del portale troverà uno sviluppo e una fortuna particolare tra il XVII e il XVIII secolo. Basti pensare solamente agli esempi progettati da Girolamo Frigimelica Roberti a villa Pisani a Stra, o ancora a quelli di Francesco Muttoni per villa Trissino a Trissino con le elaborate e ricchissime cancellate in ferro battuto. Il portale incorniciava "la vista" principale costituita dal giardino in primo piano e dalla villa per offrire la più sorprendente delle vedute a passanti e visitatori.

Ma la ricchezza e la bellezza del giardino non erano affidate solo all'intreccio tra elementi vegetali, statuaria, acqua e paesaggio; spesso, infatti, soprattutto nel XVII secolo, sono proprio i fiori e con loro gli agrumi a contraddistinguere il giardino veneto. Veri e propri emblemi del gusto e della raffinatezza della famiglia, che aveva già sperimentato il loro uso nei contenuti giardini di Venezia e ora li impiega a una scala più vasta, per il proprio piacere e talvolta per l'ostentazione degli spazi sempre più ampi dei giardini di villa. Rinomati in questo senso sono il giardino di fiori che Muttoni vuole a villa Trissino, le rose che sono riportate nei documenti di villa Barbarigo, i garofani che numerosi ornavano le aiuole dei parchi ottocenteschi e ancora liste di bulbi e di gelsomini, profumatissimi che fondevano la propria fragranza con quella delle zagare di aranci e limoni, onnipresenti a segnare aiuole, agli angoli dei prati, lungo i muri esposti a sud, nelle cedraie a copertura smontabile per conferire al signore in villa quella nota di mediterraneità e l'aspirazione al mito che nel giardino questi ricercava.

pp. 4-5 e p. 8
Villa Barbarigo a Valsanzibio (Padova)

p. 11
Cà Dolfin Marchiori a Lendinata (Rovigo)

pp. 14-15
Villa Della Torre a Fumane (Verona)

Verona

Giardino Giusti

Il giardino Giusti è uno straordinario esempio di architettura del paesaggio che ci è giunto pressoché intatto dal XVI secolo. Appartiene tuttora alla famiglia Giusti, la cui presenza è documentata in loco fin dal 1409. La costruzione del palazzo risale alla seconda metà del XVI secolo e nello stesso periodo venne completato il giardino. Il suo disegno sfrutta magistralmente l'andamento dei luoghi ed è organizzato lungo un asse prospettico dal cortile monumentale fino alla cima della collina. Dall'entrata, superata la corte, predisposta come un teatro secondo le dimensioni classiche dettate dal Serlio, si accede al lungo viale di cipressi che sale dolcemente e guida la vista al mascherone in pietra e al belvedere, posti alla sommità di un costone di roccia. La parte in piano è ripartita in moduli di bosso squadrati e formali, tipici del giardino all'italiana, mentre la parte che si inerpica sulla collina, con boschetti, grandi alberi, grotte e manufatti vari, è studiato per generare stupore nel visitatore. Gli elaborati *parterre* della parte pianeggiante, abbelliti da antiche statue e disposti ai lati del viale principale, ospitano una importante collezione di iscrizioni e reperti romani. Francesco Pona, autore nel 1620 di una descrizione del giardino e un trattato di floricoltura pubblicato a Verona nel 1622, decanta le *bellezze del luogo* e ne riporta il disegno, indicando la lista delle specie, tra cui si elencano narcisi, giacinti, anemoni e i tulipani, allora costosissimi. Uno dei riquadri di destra ospita un labirinto di bosso, con origini che risalgono al XVI secolo. In un riquadro sulla sinistra vi era un tempo una peschiera con al centro un isolotto, manufatto che presentava analogie con altre peschiere di giardini medicei o romani del XVI secolo. Di tutto ciò rimane ora la statua di Venere, opera cinquecentesca di Alessandro Vittoria. Il viale dei cipressi termina nella *Grotta degli specchi*, una grotta artificiale, scavata nella roccia, il cui interno era rivestito di conchiglie, pitture di paesaggio e specchi che ne amplificavano la dimensione e creavano l'illusione di trovarsi in una loggia aperta sul giardino. Salendo sulla sinistra si giunge a una panoramica loggia ad archi, sostenuti da colonnine in marmo rosso di Verona, e, proseguendo lungo la base dei contrafforti di rinforzo alla collina, si incontrano la cappella e la torre che collega la parte mediana del giardino a quella superiore, tramite una scala a chiocciola ricavata al suo interno. Questa zona, data la felice esposizione, era coltivata a orti, vigne ed erbe aromatiche. Il giardino è ornato di preziose varietà di agrumi in vaso, ricoverati d'inverno in cedraie e testimoniati già nella raccolta di incisioni del Volkamer del 1714. In epoca napoleonica il giardino fu trasformato in parco romantico, le siepi di bosso vennero completamente eliminate. Seguì un periodo di incuria. Nel 1921 grazie ad attenti restauri il giardino fu riportato all'originaria bellezza.

Cuzzano (Verona)

Giardino di Villa Arvedi

A nord di Verona, adagiata su un dolce declivio e incorniciata da un bosco di roveri, Villa Arvedi si fa notare per la sua monumentale magnificenza. L'edificio attuale si deve alla famiglia Allegri che intorno al 1656, per celebrare la dignità comitale ottenuta nel 1625 dalla Serenissima, affidò a Giovanni Battista Bianchi l'ampliamento di una loro casa padronale cinquecentesca. Per la realizzazione dell'imponente villa vennero utilizzati i grandiosi stilemi propri del periodo barocco. Vennero aggiunte le due ali laterali con le rispettive torri colombaie e sul retro un'esedra fu ricavata nella collina. È definita da un possente muro di contenimento, ornato da nicchie, e termina con balaustre che ne impreziosiscono tutta la sommità. Al centro chiude la prospettiva la cappella di S. Carlo, cui si accede tramite una scalinata a doppia rampa. Un fondale di cipressi e cedri del Libano sfuma dolcemente nel paesaggio degli uliveti circostanti. Sul fronte della villa, regolarizzando con terrazze la pendenza del terreno, venne ricavato lo spazio pianeggiante per creare un sontuoso giardino che si dilata visivamente nella valle. Racchiuso da basse mura, prolungamento dei contrafforti di contenimento, il giardino ha come principale funzione quella della godibilità estetica dalla villa. A livello del portico centrale venne realizzata una terrazza lunga e stretta, tenuta a prato, che crea un sorprendente effetto di basamento per gli edifici. Il lato nord, ombreggiato da un boschetto, è chiuso da un corpo di fabbrica che ospita un insieme di grotte parzialmente scavate nella collina e rivestite all'interno con conchiglie e stalattiti. Lungo l'asse prospettico centrale, scendendo una gradinata, si accede al giardino, già famoso all'epoca, tanto da essere riportato, anche se in modo poco fedele, nella celebre raccolta di incisioni di J.C. Volkamer, *Nürnbergische Hesperides*, pubblicata a Norimberga agli inizi del XVIII secolo. In questa incisione il *parterre* è spartito in riquadri geometrici e viene posta in evidenza, addossata al muro di cinta a nord, la grande serra in cui veniva riparata una ricca collezione di agrumi in vaso. È probabile invece che la realizzazione dell'articolato disegno del *parterre de broderie* con curve barocche, come è giunto a noi, risalga al XVII secolo, secondo il gusto del giardino alla francese. Nonostante le modifiche apportate nel corso dei secoli i grandi bossi dell'asse centrale risalgono all'impianto secentesco e sono uno dei rari esempi di mantenimento del patrimonio vegetale originario. Siamo di fronte a una perfetta integrazione tra l'intero complesso e il paesaggio circostante, in cui l'asse prospettico del giardino punteggiato dai cipressi si prolunga verso valle e a monte la vista si estende oltre l'esedra e la Chiesa di S. Carlo negli uliveti e nel bosco di roveri verso la sommità della collina.

Illasi (Verona)

Giardino e parco di Villa Pompei Sagramoso

I possedimenti di Villa Pompei Sagramoso si estendono su circa 60 ettari di bosco, vigneti e oliveti, alle pendici del monte Tenda, subito fuori del centro abitato di Illasi. Le origini del complesso risalgono agli inizi del XVI secolo quando, nel turbolento periodo della Lega di Cambrai (1509), Girolamo Pompei ottenne dal Senato Veneto il titolo di conte, e con esso il feudo di Illasi, grazie alla sua fedeltà e audacia che gli avevano permesso di catturare in battaglia Francesco Gonzaga, alleato agli imperiali. Agli inizi del XVII secolo, a un preesistente nucleo cinquecentesco, edificato per il controllo dei possedimenti agricoli, venne aggiunta un'ala con loggiato. Nel 1685 la famiglia Pompei diede avvio ai grandi lavori di ampliamento che conferirono alla residenza le dimensioni attuali. Nel corso di queste opere la parte cinquecentesca venne inglobata nell'imponente corpo centrale e l'edificio secentesco andò a costituire l'ala di sinistra. Vennero aggiunti l'ala di destra, gli annessi rustici e una quinta con portali, elementi che delimitano il quadrilatero della corte d'onore. L'area retrostante la villa era adibita a brolo murato e sul lato orientale si stendeva un giardino formale con un *Belvedere* sull'angolo meridionale che permetteva di ammirare il giardino dall'alto. Da qui prendeva avvio il lunghissimo viale di cipressi, che tutt'ora sale in linea retta fino alla sommità della collina su cui si trovava il Castello scaligero di Illasi. Nel 1830 il conte Antonio Pompei darà avvio a una serie di lavori che cancelleranno il brolo e il giardino formale. Al suo posto verrà realizzato un lago alimentato con acque convogliate qui dalla Val Tramigna, tramite un condotto lungo tredici chilometri. Ma soprattutto il conte realizzerà sul pendio della collina un vasto parco, di circa 30 ettari, concepito secondo la moda paesaggistica dell'epoca e che, da appassionato botanico, arricchirà con numerose specie arboree, tra cui molte di provenienza esotica. Verranno creati i sinuosi percorsi che salgono dolcemente lungo il pendio del colle e messe in risalto, come punto focale del parco, le rovine dell'antica rocca. Risuonano a proposito le parole del Pindemonte nella sua *Dissertazione* sui giardini inglesi (1792): "E così, quanto alle fabbriche, fortunato chiameremo chi possedesse un vecchio castello, una Gotica chiesa o altra vera ruina, a cui difficilmente possono somigliar bene gli artificiali diroccamenti".

A sud della villa il conte realizzerà delle serre in stile moresco e un incantevole giardino formale, ornato da fontane e giochi d'acqua. La proprietà giunse per successione ereditaria ai conti Sagramoso, attuali proprietari. Il parco e il giardino formale, grazie a un'attenta manutenzione da parte della proprietà, si stendono ancora magnifici tra i pregiati vigneti, sotto la vigile presenza dei possenti ruderi dell'antico castello.

Nòvare (Verona)

Parco di Villa Mosconi Bertani

Villa Mosconi Bertani si trova a pochi chilometri da Verona in un'amena vallata protetta dai venti. Grazie a un'ottima esposizione e al suo particolare microclima il luogo ha sempre avuto una vocazione per la produzione vinicola e si hanno notizie fin dal XII secolo dell'esistenza in loco di una cantina che dipendeva da un monastero veronese. La realizzazione del primo nucleo della villa risale al XVI secolo, quando venne edificata una casa dominicale idonea alla conduzione di una vasta azienda agricola. Alla fine del XVII secolo la proprietà passò ai quattro fratelli Fattori, ricchi mercanti, che si dedicarono a proseguire l'opera di valorizzazione del fondo. A metà del XVIII secolo, per celebrare l'acquisto della dignità comitale, incaricarono il veronese Adriano Cristofoli dell'ampliamento della villa. Il progetto mantiene l'unitarietà tra i corpi di fabbrica padronali e gli edifici a vocazione produttiva dell'azienda agricola, declinando tutto il complesso in forma aulica. La grandiosa costruzione si compone di un corpo centrale e due ali perpendicolari ed è coronata da un attico con statue acroteriali. Proseguiranno l'opera di miglioramento i successivi proprietari, i fratelli Giacomo e Guglielmo Mosconi, che circa un secolo dopo, nel 1769, acquisteranno la proprietà e realizzeranno il grande parco sul retro della villa. Il parco è stupendamente inserito nel paesaggio circostante di cui sfrutta i dolci pendii, gli anfratti e le numerose sorgenti d'acqua. Risale alla fine del XVIII secolo il lungo viale di ippocastani che si inoltra nella campagna e termina in una rotonda. Alla destra di questo si estende il vasto brolo, tenuto a vigneto e interamente delimitato da mura in pietra. Sulla sinistra la proprietà è racchiusa tra dolci collinette, ricche di fonti d'acqua. Tra il 1797 e il 1807, anno della sua morte, la contessa Elisa Mosconi Contarini tenne in villa un raffinato salotto culturale e offrì ospitalità al poeta Ippolito Pindemonte. È probabile che questi discorresse con la sua sensibile e raffinata ospite della moda dei giardini paesaggistici d'oltralpe, visitati nel corso di lunghi viaggi in Francia e Inghilterra, argomento a lui caro tanto da essere oggetto di una *Dissertazione su i giardini inglesi e sul merito in ciò dell'Italia presentata all'Accademia di Scienze, Lettere, ed Arti di Padova nell'anno 1792*. È inoltre ipotizzabile che il poeta abbia avuto la sua influenza sulla contessa nell'evitare che nel parco venissero realizzati quegli artifici propri di quello stile e che il poeta trovava superflui data la bellezza naturale del luogo. A un periodo successivo, probabilmente alla prima metà del XIX secolo, risale la realizzazione del laghetto con isoletta su cui crescono imponenti esemplari di cipresso delle paludi che si specchiano nelle acque. Uno *chalet* in stile eclettico è il piacevole rifugio in questo luogo di quiete.

Pojega di Negrar (Verona)

Giardino di Villa Rizzardi

Commissionato alla fine del XVIII secolo dal Conte Antonio Rizzardi all'architetto veronese Luigi Trezza, il parco è uno straordinario esempio di fusione tra lo stile del giardino della tradizione veneta e i canoni del giardino paesaggistico o all'inglese, che giusto in quegli anni prendeva piede in Italia. Di entrambi l'architetto sfruttò le migliori potenzialità teatrali creando episodi spettacolari all'interno di una struttura geometrica data dalla trama dei grandi viali. La superficie, di circa cinque ettari, si estende in lunghezza da sud a nord, sfruttando tre terrazzamenti e inserendosi armoniosamente nel paesaggio agrario della Valpolicella. A livello inferiore, in asse con il piccolo giardino formale retrostante la villa, si estende uno dei più begli esempi di viale a *carpinata* del Veneto. Grazie all'attenta manutenzione nel corso degli anni è stata creata una spettacolare galleria verde racchiusa dalle chiome dei grandi carpini. Dalla sommità delle chiome, accuratamente potate, penetra una lama di luce centrale che crea un imponente effetto di chiaroscuro lungo tutto il viale e ne accentua la verticalità. Al termine, attraversato il viale ortogonale, detto *Stradone montuoso*, si accede al *Teatro di verzura*, progettato "a similitudine degli antichi" (L. Trezza) con quinte, cavea semicircolare e gradonate in bosso e cipressi. Come un tempo, tuttora il teatro viene utilizzato per rappresentazioni teatrali e concerti, e i sette ordini di spalti possono ospitare fino a 250 spettatori. Dal giardino formale pochi gradini creano il collegamento al livello intermedio, dove si trova il *Laghetto*, un bacino ovale con un gruppo statuario al centro. È straordinaria la collocazione di questo specchio d'acqua, racchiuso all'interno di alte siepi di lauroceraso che delimitano tutt'attorno una sorta di deambulatorio nel verde.

Allineata con l'asse minore dell'ovale, una scala in pietra prolunga la vista dal *parterre* inferiore fino alla *Statua di Nettuno* che domina dalla sommità. L'asse maggiore del laghetto si prolunga visivamente salendo alle serre, e poi oltre, nel lungo *Viale dei cipressi*.

Al livello superiore, dopo tante simmetrie impeccabili, un romantico boschetto, abitato da fiere lapidee, custodisce un "Tempio di muro intonacato di Stalatiti, o siano sassi groteschi, disposti nel mezo di un Bosco artificiale di Carpani, ed altri alberi, con Stanze verdi, e Galerie coperte all'intorno" (L. Trezza). Un sinuoso sentiero riconduce allo *Stradone montuoso*. Questo culmina verso l'alto nel *Belvedere*, risultato di uno straordinario virtuosismo compositivo in cui una doppia scalinata abbraccia tutt'attorno un corpo ottagonale che termina con balaustre.

Sul lato orientale, collegato alla villa da un ponticello, si apre un *Giardino segreto*, cui fa sfondo un *Ninfeo* con nicchie grottesche in cui statue guardinghe vigilano sulla pace del luogo.

Avesa (Verona)

Parco di Villa Del Bene Scopoli

Fin dal XIII secolo è testimoniata in questi luoghi la presenza dei frati Camaldolesi, che qui avevano costruito la Chiesa della Camaldola con chiostro e avviato un'attività economica grazie a un mulino e a coltivazioni orticole nel brolo. Fin dai tempi della presenza dei frati il luogo era celebre per la sua bellezza e vi sorgeva un giardino curato e ornato di fiori, meta ambita dai veronesi colti che amavano dedicarsi a erudite conversazioni immersi nella bellezza del paesaggio circostante. Alla fine del XVI secolo i fratelli Agostino e Francesco Dal Bene acquistarono le possessioni dell'ordine camaldolese e a cavallo tra il XVI e il XVII secolo, dopo la morte di Francesco, Agostino chiamò per il restauro degli edifici l'architetto Vincenzo Scamozzi. A questo si ritiene possano essere attribuite le limonaie, alle quali l'architetto fa riferimento nel suo libro *La idea dell'architettura universale,* pubblicato a Venezia nel 1615. Dopo vari passaggi di proprietà, nel 1849 la villa passò ai conti Scopoli che vi abitarono fino al 1994 quando l'ultima erede donò il complesso alla Fondazione Don Mazza, attuale proprietaria.

Dell'antico giardino voluto da Agostino agli inizi del XVII secolo rimangono le *Limonaie*, ora murate, il *Belvedere* e la *Peschiera*. Il giardino cinque-seicentesco si sviluppava a est della villa, stendendosi verso le pendici della collina. Qui si trova il *Belvedere* costruito sfruttando la pendenza della collina e al quale si accede tramite due scalinate a tenaglia. Poggia su un ambiente ipogeo, coperto da una volta a crociera, ed è costituito da tre bracci con nicchie. Vi si accede tramite un grande portale bugnato ornato dalla balaustra in pietra della terrazza superiore. Verso sud, varcato un imponente portale in bugnato rustico con semicolonne e nicchie laterali, si incontra l'elemento più significativo del giardino: un vasto ambiente murato al centro del quale si stende una monumentale *Peschiera* ellittica. Questa è bordata da una balaustra in pietra, sormontata da vasi, anch'essi in pietra, e arricchita da giochi d'acqua che consistono in getti spruzzati da mascheroni posti alla base. In asse con il portale d'entrata si trovano le *Grotte*, ornate da stucchi baroccheggianti, conchiglie e concrezioni a imitazione di stalattiti. Il muro, ritmato all'interno da lesene, nicchie decorate con conchiglie e due edicole doriche sorrette da coppie di telamoni e cariatidi, si staglia su un suggestivo sfondo di cipressi secolari. Il Conte Ippolito Scopoli, permeato dell'atmosfera culturale del Pindemonte, rimodellò il parco in stile paesaggistico e da ingegnere qual era si occupò dei giochi d'acqua della peschiera secentesca. La bellezza del paesaggio circostante gli ispirò la realizzazione sulle pendici della collina di una passeggiata romantica, che vi si inerpicava per oltre un chilometro e permetteva di godere dei suggestivi scorci offerti dalla bellezza del sito e della rigogliosa vegetazione.

San Pietro di Lavagno (Verona)

Giardino di Villa Verità Fraccaroli

Le pendici di queste colline sono punteggiate dalle ville che le famiglie della nobiltà veronese facevano erigere come centri operativi sulle loro proprietà terriere. È il caso di Villa Verità, fatta costruire alla fine del XVI secolo da Girolamo Verità che aveva incaricato del progetto sia della villa che dello straordinario giardino l'architetto veronese Domenico Curtoni, nipote e allievo di Sanmicheli. La villa verrà rimaneggiata nel XVIII secolo, probabilmente con l'intervento di Alessandro Pompei. Il giardino presenta una struttura inusuale in Veneto e richiama piuttosto le sontuose creazioni tipiche del Rinascimento romano. Sfruttando il pendio sul retro del palazzo, il giardino è strutturato su quattro distinti livelli, collegati da monumentali scalinate. A livello del piano terra della villa, e suo ideale prolungamento, vi è un grande *parterre* pensile, con al centro una fontana mistilinea quadriloba. Il gruppo scultoreo di *Ercole e Anteo*, commissionato allo scultore Girolamo Campagna, ed eseguito verso il 1595, consente di datare il parco a quegli anni. Il gruppo scultoreo è il perno su cui ruota la perfetta composizione dell'insieme: in questo punto si intersecano sia l'asse mediano, rispetto la facciata posteriore della villa, sia l'asse perpendicolare che attraversa il giardino da monte a valle. Dal *parterre*, tramite due rampe di scale convergenti, si raggiunge la terrazza in cui era stato ricavato un teatro semicircolare, chiamato *La Rena*, di cui sono ancora visibili alcune pietre delle gradonate. Questa presenza è giustificata dalla passione per il teatro di Girolamo Verità, che dal 1590 era membro dell'Accademia Filarmonica di Verona e che probabilmente proprio in quell'ambito aveva conosciuto l'architetto Domenico Curtoni. Salendo ancora lungo il monte, la terrazza sulla sommità, ora tenuta a bosco, era denominata la *Piazza* e alcuni documenti fanno supporre la volontà di erigere qui il palazzo, in una perfetta simmetria compositiva, ispirata a esempi classici. Nel terrapieno di sostegno, sotto il *parterre*, vi è una grande grotta rettangolare cui si accede tramite tre aperture ricavate nell'imponente muro bugnato di contenimento. All'interno si trovano tre fontane in cui è convogliata l'acqua che, dopo aver alimentato tutto il giardino superiore, ricade scrosciante nella sottostante grande peschiera. Nei documenti storici questa è rappresentata in forma rettangolare con gli angoli concavi e un'isola al centro, ora si presenta in forme più naturali, con rive boscose, ricoperte di vegetazione. Adesso, come un tempo, questo bacino mantiene la sua funzione di riserva idrica in caso di siccità. La balaustra della scala che scende dalla terrazza mediana è decorata con un ricco motivo di intrecci su cui scorreva un rivolo d'acqua, un chiaro rimando agli esempi analoghi di Villa Lante a Bagnaia o Villa Farnese a Caprarola.

Vicenza

Giardini e parco di Villa Valmarana ai Nani

La villa fu fatta edificare nel 1669 dal giureconsulto vicentino Giovanni Maria Bertolo e già nel 1683 raccolte di versi dell'epoca esaltavano la bellezza del luogo e la ricchezza degli ornamenti e della statuaria del giardino. Nel 1720 Giustino Valmarana acquistò la proprietà e nel 1737 incaricò del restauro di tutto il complesso l'architetto Francesco Muttoni. I suoi interventi interessarono la villa, i portali d'ingresso, la foresteria e la realizzazione delle monumentali scuderie. Si deve probabilmente a lui anche l'organizzazione delle aree circostanti e i terrazzamenti del parco. Vent'anni dopo, nel 1757, Gianbattista Tiepolo e il figlio Giandomenico vennero invitati a decorare gli interni sia della villa che della foresteria, dando vita in pochi mesi ai grandiosi cicli di affreschi. Alla fine del XVIII secolo Elena Garzadori, moglie di Gaetano Valmarana, si dedicò alla sistemazione del giardino: riposizionò le antiche statue del giardino secentesco e abbellì le terrazze che affacciano sull'incantevole valletta a settentrione, ornandole con vasi di limoni. Appassionata botanica raccolse una collezione di piante rare, ciascuna munita di etichetta identificativa, che dispose, in una sorta di orto botanico, nelle aiuole del parterre di fronte alla villa. Un poemetto del 1785 così celebrava la sua opera: "Così risplende nel tuo bel soggiorno / cortese Elenia, l'arte imitatrice / della varia ed amabile natura: / [...] e le neglette statue rimetter fai / nel nobil Giardino, a cui novo splendor col vario smalto / recan gli estranei colorati fiori / e a cui loggette sul pendio del Colle / stan le conserve d'odorosi agrumi / con pittoresco digradar disposte". Il figlio Nazario affiancò e proseguì il lavoro intrapreso dalla madre realizzando il parco, nel quale si colgono stilemi del giardino paesaggistico. Vi fece edificare la *Pagoda cinese* e arricchì il bosco di specie botaniche rare ed esotiche. In una raccolta di rime, pubblicata nel 1828 in occasione delle nozze della figlia, le note ai versi magnificavano il suo operato: "Parlasi dell'amenissimo Giardino, che il Nobile Signor Conte Nazario Valmarana Padre della Sposa nella magnifica sua Villa a S. Sebastiano ha saputo formare, adornandolo di moltissime piante nostrali ed esotiche, e degno rendendolo dell'ammirazione de' Nazionali, e Forestieri, che recansi a visitare quel luogo di delizie"; "Cavaliere splendidissimo, aggiunse a così vaga natura tutto quanto poteva l'arte per onorarla", e ancora: "Alludesi alla Pagoda Chinese, che lo stesso Cavaliere con quella liberalità, da cui hanno vita ed alimento le Arti Belle ha fatto costruire". La villa prende il nome dalle diciassette statue di nani, un tempo posizionate nel giardino e ora disposte sul muro di cinta. Tra la foresteria e la villa, nel livello inferiore affacciato sull'amena valletta, si stende un intimo giardino formale, bordato di siepi di bosso e arricchito dalla presenza di un pozzo e una colombaia.

Montegalda (Vicenza)

Giardini e parco del Castello Grimani-Marcello-Sorlini

Il castello sorge su un colle da cui sovrasta il paese di Montegalda. Le origini del complesso risalgono agli inizi del XI secolo quando sulla sommità del colle si ergeva, in posizione strategica tra i colli Berici e gli Euganei, una torre difensiva. In seguito la proprietà passò alla città di Vicenza, alla Repubblica di Venezia cui si susseguirono alcune nobili famiglie veneziane quali i Contarini, i Donà, i Grimani e infine i Marcello che negli anni ottanta del XX secolo cedettero il castello alla famiglia Sorlini. Nel corso dei secoli gli edifici vennero più volte ricostruiti e ampliati, mantenendo la funzione militare fino alla guerra di Cambrai. Tra il XVI e il XVIII secolo la fortezza assunse le forme di una dimora gentilizia e risale alla seconda metà del XVII secolo l'ideazione dei giardini che furono realizzati sfruttando i pendii che circondavano il castello. Verso est furono costruiti dei bastioni che ospitavano delle serre mobili, tutt'ora in funzione, per la coltivazione degli agrumi piantati in terra, mentre a Occidente si realizzarono dei giardini pensili su terrazzamenti. Dal cancello d'entrata alla base del colle si snoda un viale che sale dolcemente alla sommità facendo intuire, con sapienti scorci, la sistemazione del giardino. Svoltato l'ultimo tornante il castello appare improvviso in tutta la sua imponenza. Ci si trova alla base della fortificazione e uno stretto passaggio sotto il ponte levatoio porta a un monumentale cancello, retto da quattro pilastri sormontati da obelischi. Sul lato opposto un lungo viale di cipressi scende dolcemente verso valle e apre una prospettiva verso i colli a occidente. Proseguendo nell'ascesa al castello l'elegante rampa di accesso al ponte levatoio e al giardino formale sfrutta un effetto scenico diminuendo in larghezza man mano che si sale. È racchiusa tra basse mura, ornate da statue di putti realizzati, come tutta la statuaria presente nel parco, nella bottega di Orazio Marinali.

Sulla destra, in asse con il ponte levatoio, una monumentale cancellata retta da due pilastri sormontati da statue, introduce al giardino formale, organizzato su livelli differenti. Il viale centrale rialzato, lungo il quale sono disposti vasi di limoni, termina in un *Belvedere*, una leggera struttura in ferro e pietra quasi interamente ricoperta da una rosa banksiae. Ai lati del viale centrale due giardini formali sono disposti a un livello leggermente ribassato, cui si accede tramite brevi scale in pietra. Sono suddivisi in aiuole simmetriche, bordate di bosso, e ospitano più di un centinaio di vasi di limoni, collocati su bassi piedistalli lapidei. Dal ponte levatoio si accede al cortile interno, intelligente inserimento settecentesco nello spazio interno dell'antica *Corte delle armi*: i suoi prospetti interni regolari e la balaustra in pietra, ornata di statue, che corona la sommità conferiscono al sito la sobria eleganza degna di una dimora gentilizia.

Costozza di Longare (Vicenza)

Giardino di Villa Trento Da Schio

L'impostazione del giardino risale alla seconda metà del XVI secolo, quando Francesco Trento ideò questo straordinario giardino, adattandolo all'impervio pendio. Utilizzando materiale di scarto delle vicine cave di pietra realizzò i terrazzamenti su cui introdusse rari vitigni e alberi da frutto, e abbellì il luogo con peschiere, fontane e uccelliere. Nel XIX secolo inserimenti paesaggistici modificarono il sito e si deve agli attuali proprietari l'attento restauro che, iniziato negli anni venti del secolo scorso, ha riportato il giardino al suo antico splendore. Il giardino è articolato in cinque terrazze, cui fanno sfondo il costone di roccia sormontato da cipressi e un piccolo edificio denominato Villino Garzadori, che contiene *La Grotta del Marinali*, affrescata da Dorigny e così chiamata per aver ospitato lo studio dell'artista che ricavava dalle cave circostanti la pietra per le sue statue. Varcato il maestoso portale d'entrata sorvegliato da statue di guerrieri e percorso il breve viale d'entrata tra corpose siepi di bosso, si giungere alla *Gradinata dei leoni*. Sulla terrazza due sentieri curvilinei bordati di bosso disegnano una forma circolare. Alla seconda gradinata si viene accolti da due figure in abiti di fine XVII secolo: un anziano mercante e, a destra, un paggio, a raffigurare rispettivamente l'origine e l'ospitalità dei Trento. Oltre il successivo terrazzamento, tenuto a prato, sale la gradinata più imponente, che ha come punto focale la *Fontana di Venere*. Sui pilastri in stile rustico si ergono le statue di Diana e Atteone. Diana è colta dal cacciatore Atteone nell'istante in cui esce dall'acqua. Ai lati, sul bastione di contenimento, sono poste le statue delle quattro ninfe compagne della dea, mentre all'estrema sinistra vi è Giove, padre di Diana, riconoscibile dall'aquila posta ai suoi piedi. La terrazza superiore si trova allo stesso livello del pianterreno della villa ed è spartita in due da un vialetto centrale. Pochi gradini portano alla *Fontana di Venere*, cui sono posti a guardia due cani in pietra, e sui bastioni di contenimento sono collocate pregevoli statue. Le due scale laterali conducono al penultimo terrazzamento caratterizzato dalla *Vasca del Nettuno*, fulcro prospettico del giardino. Due prati elegantemente riquadrati dai sentieri in pietra ospitano a destra la statua di Zefiro, dalle gote enfiate, e a sinistra Flora, sua sposa. A coronamento del muro vi sono una statua maschile con i simboli della regalità, Ebe coppiera degli dei, Apollo con la cetra e una ninfa con ghirlanda. All'estremità sinistra del muro una scaletta coperta da un pergolato, conduce al *Viale dei tigli*, l'ultimo terrazzamento che termina nella *Loggia* del *Ficus repens*, pianta che risale all'epoca dei Trento. Dal lato opposto, sul fianco della villa, si scende tramite la bellissima *Scala dei Nani* fino alla *rotonda* e al boschetto romantico ottocentesco, sotto il quale è ricavata la *Ghiacciaia*.

Montegalda (Vicenza)

Parco di Villa Fogazzaro Roi Colbachini

Poco lontano dal centro abitato di Montegalda e seminascosta dalla vegetazione emerge su una piccola altura la neoclassica facciata di villa Fogazzaro Roi Colbachini. Le origini del complesso risalgono al XV secolo quando la tenuta era utilizzata come residenza estiva dei nobili Chiericati. Il feudo passò di mano e nel 1824 venne acquistato da Giuseppe Fogazzaro, zio dell'illustre scrittore Antonio Fogazzaro, che in questa villa ambientò parte del romanzo *Piccolo mondo moderno*. La proprietà appartiene ora alla famiglia Colbachini che ne ha curato l'attento restauro.

La villa è circondata su tre lati da uno straordinario parco paesaggistico mentre la zona a est è occupata dalle serre e un giardino all'italiana. Il disegno del complesso mostra una grande coerenza e una notevole padronanza nel gestire i vari livelli ed è ascrivibile, anche se manca una documentazione certa, all'ingegno di Antonio Caregaro Negrin. Nel 1846 questi viene chiamato per ridisegnare e ampliare il preesistente casino di villeggiatura, di impianto secentesco e a lui si deve l'attuale aspetto tardo neoclassico degli edifici. Come ipotizza la studiosa Bernardetta Ricatti a supporto della tesi che l'architetto si sia occupato anche della sistemazione del parco, qui si ritrovano strette analogie con alcune decorazioni architettoniche ad arco acuto presenti nel complesso della poco lontana Villa Pasini ad Arcugnano, dello stesso Caregaro Negrin. Il parco è solcato da un elaborato reticolo di corsi d'acqua, attraversati da ponticelli, che conducono a uno scenografico laghetto. Una fitta vegetazione fa da cornice naturale e protegge il sito dall'esterno. Numerose le specie ornamentali qui raccolte: *Magnolia grandiflora, Taxodium disticum, Platanus sp., Aesculus hippocastanum,* tra i quali anche esemplari di notevoli dimensioni, che concorrono a creare uno spazio di forte suggestione pittorica. Sul lato destro della villa, superata la cappella gentilizia, di fronte all'imponente arancera, si stende un giardino formale, collegato alla villa da un'ampia scalinata. Il *parterre* è suddiviso in riquadri regolari, bordati di bosso, e ha al centro una piccola vasca d'acqua, allineata con l'entrata delle serre e il centro della scalinata. La proprietà è racchiusa verso est da un lungo muro, con un particolare disegno a festone ornato da pigne in pietra. Sulla collina vicina, parte integrante del vasto parco paesaggistico, si trova la *Specola,* un edificio costruito nelle forme di torretta, con merli e terrazzino, un tempo adibito a casino di caccia. Il complesso ospita il Museo Veneto delle Campane Daciano Colbachini.

Trissino (Vicenza)

Giardini e parco di Villa Trissino Marzotto

Il primo insediamento dei Trissino risale a una roccaforte del XI secolo. Nel XV secolo l'edificio medievale fu trasformato in dimora di campagna e successivamente, tra il 1718 e il 1722, la villa venne ampliata nelle forme attuali su disegno dell'architetto Francesco Muttoni. Allo stesso Muttoni fu dato anche l'incarico della sistemazione dell'area di colle circostante. Qui realizzò un'articolata serie di giardini e un parco, che integrano con sapiente armonia la pendenza del colle agli edifici. Tutto il complesso è un notevole esempio di giardino settecentesco, con passaggi coperti e scoperti, giardini pensili, terrazze panoramiche, peschiere e un ricchissimo apparato scultoreo realizzato da Orazio e Angelo Marinali. Notevoli sono le cancellate che sottolineano i vari accessi, affiancate da imponenti pilastri sormontati da pinnacoli di sapore orientaleggiante. Di fronte alla facciata interna della villa si trova il *Giardino interno*, uno straordinario spazio rettangolare tenuto a prato e racchiuso sui tre lati da alte mura ornate da archi e nicchie collegate da un marcapiano in pietra e da una balaustra che corre lungo tutta la sommità. Gli archi sui due lati corti permettono il collegamento con i giardini adiacenti. A oriente si stende un intimo *parterre* di bossi, contornato da cipressi monumentali su cui risalta il candore delle statue poste sui parapetti in pietra. Il muro di fronte alla villa, scandito da nicchie con statue, fa da bastione di contenimento a un terrazzamento trapezoidale, detto della *cavallerizza*. Vi si accede tramite due balconate che partono dal piano nobile della villa o, dal basso, salendo all'interno di due torricelle simmetriche contenente ciascuna una scala a chiocciola con pavimentazione a rampa di modo da essere accessibile anche ai cavalli. Verso sud si affaccia sulla valle un lungo viale, detto dei limoni, lungo il quale statue poste su alti piedistalli si alternano a vasi di agrumi. Scendendo nel parco, ricco di specie botaniche ed esemplari arborei di notevoli dimensioni, si giunge al rudere della *Villa inferiore*, ricoperta in modo pittoresco da festoni di edera. Costruita sempre su disegno di Muttoni fu inaugurata nel 1746, ma per ben due volte venne danneggiata da incendi, una prima volta alla fine del XVIII secolo e successivamente nel 1841. A seguito di questo ultimo incendio Alessandro Trissino decise di consolidare i resti, esaltandone le qualità di rudere e facendone, seguendo la moda del tempo, uno straordinario elemento scenografico per il parco. Di fronte si stende un grande terrapieno contornato da balaustre in pietra su cui sono poste statue, anch'esse dei Marinali. La parte centrale del prato è occupata da una peschiera ottagonale ornata ai vertici con raffigurazioni di divinità mitologiche. Chiude il complesso una scenografica doppia gradinata che porta alla sottostante *Fontana del Nettuno*.

Schio (Vicenza)

Giardino Rossi Jacquard

Dobbiamo questo straordinario giardino ad Alessandro Rossi, straordinaria figura di industriale, mecenate e filantropo. Nel 1859 questi incaricò l'architetto Antonio Caregaro Negrin della sistemazione dell'area di fronte alla sede storica del Lanificio Francesco Rossi 1817. In questo esiguo spazio, di circa 5.000 m², con funzione di perno tra gli edifici produttivi, l'architetto si fece interprete dell'ideale di "civiltà industriale" del suo committente e realizzò nel giardino un ambizioso progetto iconografico.
Alessandro Rossi non fece realizzare un giardino privato ma uno spazio verde, presto anche aperto alla cittadinanza, nel cuore stesso dell'attività produttiva del Lanificio dove, per volere del suo ideatore, i valori del lavoro e qualità di vita erano strettamente legati.
Dal punto di vista compositivo l'accentuata verticalità della composizione e la sapiente disposizione delle masse di vegetazione sono l'occasione per lasciar correre l'immaginazione verso spazi indefiniti. La folta vegetazione e i grandi alberi, tra i quali sono degni di nota i magnifici cipressi del Portogallo e le imponenti sequoie, contribuiscono a dilatare lo spazio a disposizione, indirizzando lo sguardo anche verso emergenze al di fuori del giardino. A questo scopo, con grande ingegno, Caregaro Negrin fece aggiungere alla cinquecentesca chiesetta di S. Rocco, a monte del complesso, uno svettante campanile che fungesse da punto focale dell'intera composizione.

Il percorso simbolico prende il via ancor prima di entrare al giardino, dalla porta tuscanica del Lanificio Rossi. Le decorazioni con i simboli dell'Arte della Lana e di Mercurio stanno a simboleggiare e esaltare la prosperità che è ottenuta tramite il lavoro, la produzione industriale e il commercio. L'entrata del giardino è posta perfettamente in asse con questo manifesto programmatico che si dipana lungo i sinuosi viali che collegano le architetture. Ciò che attira immediatamente l'attenzione del visitatore è la serra teatralmente posta sulla sommità del leggero declivio. Sulla destra si impone l'edificio della Tessitoria Jacquard, che diventerà presto un teatro e un centro culturale aperto alla cittadinanza. Coerentemente con il programma iconografico sotteso a tutto il giardino la facciata è ornata con dodici medaglioni in terracotta, che raffigurano le effigi, anziché dei più classici dodici Cesari, di altrettanti personaggi illustri della città, dal Medioevo in poi.
Celati dietro la serra e sorvegliati dalla figura di Atlante si aprono i portali delle grotte, collegate alla parte collinare soprastante da scalette scavate nella roccia. Da qui si snoda un elaborato intreccio di percorsi, che portano alle architetture neogotiche nel boschetto della zona collinare. Ridiscendendo verso la torretta ottagonale una testa di coccodrillo a grandezza naturale spunta improvvisamente dalla roccia: anche questo un rimando simbolico agli Egizi, maestri nell'arte della tessitura.

Santorso (Vicenza)

Parco di Villa Rossi

Per la realizzazione della sua dimora di campagna a Santorso, a poca distanza da Schio, dove solo sei anni prima, nel 1859, aveva realizzato il Giardino Jacquard tra gli edifici del Lanificio Rossi, Alessandro Rossi si affida nuovamente al genio dell'architetto Antonio Caregaro Negrin. Come nel precedente incarico anche qui l'industriale chiede all'architetto di farsi interprete e portavoce della sua fervida fiducia nell'industriosa laboriosità finalizzata alla prosperità e alla pace sociale. La villa e il parco stesso hanno continui rimandi a un'"età dell'oro", che Rossi vedeva nell'epoca di Augusto e Mecenate, e che viene interpretata dall'architetto declinando in stile "pompeiano" gli edifici e i manufatti del parco. L'area di circa 4,5 ettari in cui vengono realizzati il vasto parco e la villa si stende sul pendio della collina e si presentava divisa in due dalla vecchia strada comunale: questo inconveniente diventa l'occasione per realizzare un cambio di livello e scavare una suggestiva galleria di collegamento tra il parco a livello della villa, detto delle *Rive* e quello sottostante, detto del *Laghetto*.

Il primo prende il nome dall'abbondanza di acqua e si snoda lungo le pendici del monte, sul retro della villa, con percorsi curvilinei ed episodi evocativi. Vi si trovano in perfetta sintonia riferimenti simbolici alla classicità romana, quali le finte rovine e il ninfeo, elementi della cristianità, quali l'Oratorio di S. Dionigi, e quelli dell'operosa modernità degli orti-frutteto dove i canoni estetici sono indissolubilmente legati alla produttività. Scendendo di fronte alla villa si accede alla galleria sotterranea, che riprende lo stile dei vestiboli romani. Un tempo questo spazio, coperto da volte a vela in sasso e mattoni, custodiva reperti archeologici. La galleria termina aprendosi sul parco inferiore con tre maestose aperture, esplicito richiamo alle forme di un arco trionfale, ornate con medaglioni celebrativi dell'industria tessile e della "santa agricoltura".

Il *Parco inferiore*, detto del *Laghetto*, è un suggestivo esempio di parco in stile paesaggistico di fine ottocento. È concepito come un susseguirsi di ombrose zone boscate che si aprono su luminose radure. Alcuni manufatti straordinari impreziosiscono il luogo: è il caso del tempietto, parzialmente ipogeo, che dall'esterno appare come una finta rovina, nel cui interno decorato in stile neopompeiano si aprono le pareti vetrate che danno su un magico acquario, alimentato dalle acque del parco, in cui nuotano pesci rossi. Sinuosi vialetti scendono dolcemente il declivio, intersecandosi con i numerosi ruscelli, cascatelle e giochi d'acqua che sfociano nell'ampio *Lago inferiore*. Le rive sono punteggiate dai pneumatofori dei maestosi *Taxodium disticum*. Notevole è la ricchezza della componente vegetale che annovera magnolie, ippocastani, boschetti di tassi e un imponente pino dell'Himalaya.

Piazzola sul Brenta (Padova)

Parco di Villa Contarini

Il complesso sorge sulle fondamenta di un antico castello carrarese passato nel XV secolo, per via matrimoniale, ai nobili veneziani Contarini. Nel XVI secolo la fortezza è trasformata in una casa domenicale con due ali agricole e viene avviata la realizzazione di un complesso sistema di canali che verrà ampliato fino al XIX secolo. Nella prima metà del XVII secolo la casa dominicale assume sempre più una funzione di rappresentanza. Si devono soprattutto a Marco Contarini, procuratore di San Marco, quegli imponenti lavori che iniziano nel 1676 e che trasformarono il complesso in una delle dimore più sontuose della Repubblica veneta in terraferma. Dello straordinario giardino, ricco di grotte, fontane, labirinti e boschetti di agrumi, descritto sul volgere del XVII secolo dalle fonti scritte, lasciate dagli ospiti del procuratore Marco Contarini, nulla ci è pervenuto e ben poche tracce se ne riscontrano nell'iconografia che ha rappresentato la villa nel passato. Possiamo supporre che le entusiaste cronache di fine XVII secolo, che riferivano di giochi d'acqua, collezione di agrumi, labirinti e carpinate coperte, avessero sicuramente più di un qualche fondamento di verità, data la magnificenza che il procuratore Marco Contarini amava ostentare con la ricchezza profusa nella villa. Questa veniva da tutti paragonata a una reggia per la grandiosità delle sue dimensioni, la sontuosità delle sue decorazioni e la ricchezza degli arredi interni. Vi avevano luogo (come pure nei due teatri fatti costruire nel centro abitato) fantasmagorici spettacoli allo scopo di stupire gli illustri ospiti della nobiltà veneziana e i principi stranieri spesso in visita a Piazzola. Sono riportate nelle incisioni a corredo delle cronache le immagini delle naumachie combattute con equipaggi e vere galere nelle peschiere sul lato orientale della villa.

Tra XVIII e XIX secolo, a seguito di divisioni ereditarie, i giardini, come l'edificio, versarono per un lungo periodo in uno stato di forte degrado. La proprietà venne infine acquistata nel 1852 dal duca Silvestro Camerini che iniziò grandi lavori di restauro, proseguiti dal nipote e figlio adottivo Luigi, e terminati dal figlio di questi Paolo, tra XIX e XX secolo. In questi anni vedrà la luce il vasto parco con la disposizione di grandi masse d'alberi e la creazione del grande lago. Il parco, che originariamente si estendeva su oltre 120 ettari a nord della villa, attualmente ha un'estensione di circa 45 ettari ed è suddiviso in diversi episodi, collegati tra loro da imponenti viali bordati da alberi che di volta in volta possono essere tigli, ippocastani, robinie o pioppi. Ampie masse boscate cedono il passo a radure e pregevoli manufatti e i numerosi canali e corsi d'acqua formano un raffinato e sapiente sistema idrico che, oltre al pittoresco lago, alimenta fontane e peschiere. Il complesso è ora proprietà della Regione Veneto, che ne ha curato il restauro.

Saonara (Padova)

Parco di Villa Cittadella Vigodarzere

A una decina di chilometri a sud-est di Padova sorge uno dei più straordinari giardini frutto dell'ingegno di Giuseppe Jappelli. Il progetto nasce in un periodo storico particolare sia per il committente Antonio Vigodarzere che per l'architetto. Come molte altre brillanti intelligenze d'Europa entrambi erano affiliati alla massoneria ed erano sinceri sostenitori dei suoi ideali di Ragione e Fratellanza, molto simili a quelli di *Liberté, Egalité* e *Fraternité* francesi. Queste simpatie politiche erano però costate allo Jappelli un lungo esilio in terra lombarda, prima di poter tornare a Padova, che dopo i francesi era passata agli austriaci. Rientrato dunque a Padova, nel 1815, a Jappelli si offrì un'opportunità per dare prova della sua abilità con l'incarico di allestire nel Palazzo della Ragione una degna coreografia per accogliere Francesco I d'Austria in visita alla città. In quest'occasione l'architetto dispiegò tutte le sue conoscenze di scenografo e di *ingegnere delle acque* ricreando all'interno del grande salone un meraviglioso giardino, con tanto di collinette, sorgenti e cielo stellato. È probabile che proprio in quell'occasione sia venuto in mente ad Antonio Vigodarzere che quello scenografo avrebbe potuto farsi interprete dei suoi ideali di rinnovamento. Inoltre con la realizzazione del giardino avrebbe potuto dare una dimostrazione tangibile di quello spirito di fratellanza massonica e solidarietà filantropica, offrendo un'occasione di lavoro a centinaia di contadini provati dalla carestia del 1816. Antonio Vigodarzere mise a disposizione per la realizzazione del parco circa quattordici ettari di piatta campagna che l'architetto, grazie alle sue conoscenze idrauliche e abilissimi artifici scenografici, trasformò in uno straordinario giardino all'inglese, creando un boscoso paesaggio collinare in un gioco dell'illusione perfetto che poteva trarre in inganno anche i più avveduti visitatori.

Il parco è uno dei primi straordinari esempi di stile *all'inglese* in Italia. Qui vengono utilizzati con grande maestria molti elementi del repertorio che caratterizza lo stile paesaggistico, mettendo in risalto soprattutto il carattere romantico di un Medioevo romanzato così caro anche alla cultura massonica. Un chiaro esempio è dato dalla Cappella dei templari, in cui vennero utilizzati autentici pezzi medievali provenienti dalla chiesa di S. Agostino di Padova, secolarizzata in epoca napoleonica e poi distrutta.

Jappelli interverrà a più riprese nel parco per più di tre decenni, fino al 1852, anno della sua morte. Per realizzare quei boschi che sembravano così naturali e spontanei in realtà erano stati messi a dimora più di 35.000 alberi, e creati dal nulla ruscelli, cascate, amene collinette e il grande lago nel quale alberi maestosi tuttora si specchiano. Magistrale è l'alternanza tra spazi aperti e boscosi che continuano a suscitare nel visitatore meraviglia nel susseguirsi di scorci pittoreschi.

Bagnoli di Sopra (Padova)

Parco di Villa Widmann Borletti

Il toponimo di Bagnoli e le ampie coltivazioni a vigneto circostanti sono documentate fin dall'XI secolo. I possedimenti, che appartenevano a ordini monastici, nel 1656 furono messi in vendita per contribuire alle spese sostenute dalla Repubblica di Venezia nella guerra contro i turchi. I domini vennero acquistati dalla ricca famiglia Widmann che nel 1646, grazie al sostegno dato nella guerra di Candia contro il Sultano, era assurta al rango della nobiltà veneziana. I nuovi proprietari diedero avvio a imponenti lavori di trasformazione degli edifici monastici e il progetto della monumentale parte padronale viene attribuito a Baldassare Longhena. Nel secolo successivo la villa divenne un salotto culturale in cui anche Carlo Goldoni amava trascorrere la *villeggiatura* estiva, ospite del conte Ludovico Widmann, di cui loda, come si legge nel suo *Burchiello,* la magnificenza e liberalità. Nel piccolo teatro ricavato in uno dei saloni della villa, venivano allestite le sue opere ed era un momento giocoso in cui i nobili ospiti si trasformavano per l'occasione in attori rivestendo i ruoli di Pantalone, Arlecchino, domestici e servette. Il dominio attualmente ha un'estensione di 600 ettari e il complesso degli edifici è uno dei più importanti del Veneto per grandezza e monumentalità. La lunga e grandiosa facciata si impone sull'intero centro abitato mentre il fronte interno si apre su un giardino all'italiana di gusto settecentesco, ornato da vasi di limoni e impreziosito da 160 statue tra cui le più pregevoli sono quelle realizzate dallo scultore padovano Antonio Bonazza, cui furono commissionate a metà del XVIII secolo. Sono presenti statue a soggetto allegorico o mitologico tra cui i dodici segni zodiacali e numerosi dei dell'Olimpo. Il tema della rappresentazione teatrale, così frequentemente e intimamente legato alla storia del giardino europeo, viene richiamato qui nell'opera di risistemazione del giardino affidata nel 1942 a Tommaso Buzzi, visionario architetto milanese che utilizza la sua "vocazione teatrale" per manipolare fantasiosamente gli elementi architettonici del passato senza cadere nel falso di una ricostruzione. Il giardino antistante il corpo padronale, che si presentava diviso in simmetriche aiuole rettangolari, viene unificato in un grande tappeto erboso che termina in un teatro di verzura, "scavato" all'interno di una massa vegetale. Qui, tra quinte di carpini topiati, vengono ricollocate alcune delle antiche statue, personaggi pietrificati che sembrano appena usciti dalle pagine goldoniane.

Oltre ai giardini si stende un brolo di circa 20 ettari, l'antico frutteto del monastero, all'interno del quale vi sono vigneti, frutteti, un bosco e due laghetti. Vi sono preservate trenta tipologie di vitigni autoctoni. Un lungo viale bordato da un doppio filare di pioppi cipressini conduce al laghetto e tutto il complesso è racchiuso da una cinta muraria del XIV secolo.

Vescovana (Padova)

Giardino di Villa Pisani Scalabrin

Il luogo ha una storia antica, con la presenza nei primi secoli dopo il Mille di una roccaforte estense, passata poi alla nobile famiglia veneziana dei Pisani, che acquistarono vasti possedimenti nel XV secolo. Questi intrapresero imponenti opere di bonifica, trasformarono i malsani acquitrini in una fertile e fiorente campagna ed edificarono una grande villa dominicale. Indissolubilmente legati alla Repubblica di Venezia per quasi tre secoli, tra i Pisani si annoverarono personalità di spicco in ambito politico e amministrativo tra cui dogi, ambasciatori e cardinali. Verso la fine del XVIII secolo i Pisani subirono un tracollo economico che li costrinse nel 1807 a cedere la sfarzosa villa di Stra a Napoleone. Riversarono quindi la loro attenzione sui possedimenti di Vescovana che era oramai l'unica fonte di ricchezza rimasta alla famiglia.

La storia si intreccia a metà del secolo con quella di Evelina van Millingen. Nata a Costantinopoli da un medico inglese e una colta giornalista francese, fanciulla bellissima, Evelina era stata mandata in Italia per la sua formazione e la sua apparizione al Teatro La Fenice in abiti orientali aveva suscitato una grande ammirazione e le aveva aperto le porte dei salotti veneziani. Nel 1852 sposò Almorò III, ultimo dei Pisani di S. Stefano, e con lui si stabilì a Vescovana. Mentre il marito dedicava tutte le sue energie a risollevare le sorti della proprietà, Evelina realizzava di fronte alla villa, uno splendido giardino che lasciava ammirati i molti amici, tra i quali il poeta Robert Browning e Henry James. Rimasta vedova continuò l'opera del marito rivelandosi un'abile imprenditrice. Riuscì a trasformare la proprietà in un'azienda agricola modello, con particolare attenzione al miglioramento delle condizioni di vita dei contadini. Nel 1900, alla scomparsa di Evelina, l'eredità passò a un lontano nipote di Almorò, e infine al Conti Nani Mocenigo. Alla fine degli anni sessanta la proprietà venne acquistata dagli attuali proprietari Bolognesi Scalabrin e grazie alle loro attente cure sia la villa che il parco sono tornati a risplendere. Il giardino era stato concepito da Evelina affinché fosse visto dall'alto, dalle finestre della villa. Nel giardino si colgono le culture che erano confluite nella personalità della sua creatrice: il gusto per il giardino vittoriano inglese si unisce al disegno in aiuole tipico del giardino all'italiana, e qua e là riaffiorano gli echi dello stile del giardino islamico, conosciuto durante la sua giovinezza, con la presenza dei pavoni di pietra e l'utilizzo in massa delle bulbose, soprattutto narcisi e tulipani, i fiori di Allah. Le aiuole seguono un complesso disegno a ventaglio e sono arricchite dalla presenza di magnifiche siepi di bosso e grandi tassi topiati. Dalla primavera si susseguono le fioriture che culminano in quella straordinaria delle rose, utilizzate sia nelle aiuole che come esuberanti rampicanti su romantici archi.

Valsanzibio (Padova)

Parco di Villa Barbarigo

A pochi chilometri a sud di Padova, in un'amena valletta alla base dei colli, si estende uno dei più straordinari e meglio conservati parchi secenteschi. Le sue origini risalgono al XVII secolo quando la famiglia veneziana dei Barbarigo decise di edificare una residenza adeguata al rango. I lavori si protrassero a più riprese dal quarto decennio del XVII secolo fino agli inizi del XVIII secolo, con un impulso verso la fine del secolo dovuto ad Antonio Barbarigo, procuratore di S. Marco dal 1697 e fratello di Gregorio, vescovo di Padova. Agli inizi del XIX secolo la proprietà fu ereditata da Lodovico Martinengo da Barco, cui si devono gli inserimenti in stile paesaggistico e nel 1930 il complesso passò ai conti Pizzoni Ardemani, attuali proprietari che intrapresero il restauro del giardino. Il parco nasce da un progetto unitario, databile intorno al secondo decennio del seicento, e prevedeva l'area suddivisa in quattro fasce di sei scomparti ciascuna che componevano una sorta di percorso filosofico. Il disegno iniziale venne in seguito ridimensionato ma fu mantenuto l'impianto di suddivisione regolare dello spazio grazie alla scansione dei viali ortogonali tra loro. Il fulcro di tutta la composizione è rappresentato dalla *Fontana della pila*, posta nel punto in cui si interseca il lungo viale che parte dal fronte della villa con l'asse che si origina dal grande portale monumentale denominato *Bagno di Diana*. La statua della dea della caccia, posta nella finestra del timpano, è accompagnata ai lati da statue di cani e cervi. Lasciato il portale alle spalle, i giochi d'acqua si susseguono lungo l'asse est-ovest. La *Peschiera dei fiumi*, la *Fontana del cigno* e la *Peschiera dei venti*, con il loro ricco apparato scultoreo, riecheggiano la concezione scenografica propria dei giardini barocchi romani. La successiva *Peschiera dei pesci rossi* è stata realizzata nel XIX secolo al posto di un *parterre* secentesco che aveva come disegno le armi dei Barbarigo. A sud delle peschiere il celebre *Labirinto* è anch'esso una delle tappe del percorso esoterico sotteso al giardino e legato alle concezioni filosofiche neoplatoniche care ad Antonio Barbarigo. Imboccato il viale centrale, risalendo verso la villa, il riquadro mediano di destra ospita la *Statua del tempo*, figura di vecchio che regge una clessidra, mentre quello di sinistra è occupato dall'*Isola dei conigli* che, come quasi sempre accadeva nei giardini antichi, univa allo scopo utilitaristico una simbologia, in questo caso un rimando all'Eden. La *Fontana degli scherzi d'acqua* precede il terrazzamento antistante la villa. Sette gradini, allegoria dei pianeti, portano incisi dei versi che illustrano gli intenti dei Barbarigo nella realizzazione del giardino, e che ritroviamo esemplificati anche nella statuaria del *parterre*: Adone, Doletto, Allegrezza, Ozio, Agricoltura, Genio, Concordia, Beata solitudine e Abbondanza sono l'allegoria dei godimenti offerti da questo rifugio agreste.

Due Carrare (Padova)

Giardini del Castello di San Pelagio

A pochi chilometri a sud di Padova sorge il suggestivo Castello di S. Pelagio. L'origine storica del complesso risale al XIV secolo con la presenza di una fortificazione turrita, parte del sistema difensivo dei Carraresi. L'antico nucleo fu ampliato, a partire dal XVIII secolo, grazie ai lavori intrapresi dai Conti Zaborra, proprietari del complesso dalla fine del XVII secolo, con l'obiettivo di trasformare gli edifici in dimora gentilizia. Vennero aggiunti altri corpi di fabbrica, tra cui l'ala di sinistra, con portici adibiti agli usi agricoli, e l'ala di destra destinata ad abitazione. Dalla strada sono ancora oggi leggibili le tracce dell'antica vocazione difensiva del complesso, con la torre a merlatura guelfa che spicca al centro della facciata del XVIII secolo.

La suddivisione degli spazi circostanti, data dall'articolazione degli edifici, è stata abilmente sfruttata per creare dei giardini tematici. Tra le due ali si trova il *Giardino di rappresentanza*, spartito nelle classiche quattro aiuole con al centro una vasca d'acqua. Viene anche chiamato il *Giardino delle rose* per l'interessante collezione che vi è ospitata. Rose fioriscono anche lungo il perimetro interno in compagnia di gelsomini, ortensie e clematidi, tra cui una spettacolare *Clematis armandii*, che si arrampica su una vecchia catalpa fino a un'altezza di circa sei metri. Oltre l'ala destra, racchiuso da alte mura, si stende il *Giardino segreto*, così chiamato perché da sempre utilizzato per ricevere gli ospiti in un ambiente più riservato e intimo. È ricco di annosi esemplari arborei tra cui spicca per rarità una *Lagerstroemia* risalente al XVIII secolo. Ombreggiata da una *Sophora japonica* pendula, si trova un'antica vasca ovale probabilmente realizzata per utilizzare le acque termali presenti in zona. Sulla parete del castello è posizionata una pergola di uva bianca che dà sostegno a rose rampicanti, clematidi, passiflore e *Jasminum grandiflorum*. Ai piedi si stende una bordura in cui vengono collezionate piante profumate e aromatiche. Sul lato opposto del complesso vi è un viale d'entrata lungo una quarantina di metri interamente bordato da rose, un ambiente spettacolare a maggio, nel momento della fioritura. Dal cancello del *Giardino di rappresentanza* un doppio filare di annosi *Carpinus betulus*, potati di modo da creare una galleria verde, si dirige verso sud. La *Carpinata*, elemento tipico degli antichi giardini, e che serviva da collegamento tra la dimora e i campi coltivati, conduce alla montagnola della *Ghiacciaia*.

Nel 1918 il Castello venne utilizzato come sede della Squadriglia aerea Serenissima e da qui il 9 agosto D'Annunzio partì per il volo su Vienna. Prendendo spunto da questa impresa il complesso ospita il Museo dell'aria, che ripercorre l'intera storia del volo umano e nel giardino si trovano due labirinti, a richiamo di quello di Cnosso legato al mito di Icaro e quindi alla storia del volo umano.

Castelfranco Veneto (Treviso)

Parco di Villa Cornaro Revedin Bolasco

Il Paradiso è il nome con cui questo luogo veniva chiamato per la magnificenza della dimora che nel XV secolo apparteneva ai nobili veneziani Morosini. Agli inizi del XVI secolo la proprietà passò per via matrimoniale ai Corner. Situata lungo la strada che dal centro abitato di Castelfranco porta a Treviso, con i colli asolani che chiudono l'orizzonte a nord, la proprietà era circondata da una fertile campagna, ricca d'acque, con broli e frutteti che si estendevano verso settentrione. In uno dei primi disegni, risalente al 1571, viene raffigurata una turrita dimora con già un'ampia peschiera sul lato occidentale. Più tardi, nel 1607, l'architetto Vincenzo Scamozzi viene incaricato di ridisegnare il complesso. Vengono realizzati due imponenti palazzi gemelli e, sul retro, un giardino ritmato in modo geometrico. Scamozzi ne fa un'accurata descrizione nel suo libro *L'idea dell'architettura universale*. Il giardino era racchiuso da un muro di cinta, su cui poggiavano lunghe cedrare smontabili, ed era ornato da pregevoli statue di Orazio Marinali. Un nobile russo che visita il luogo nel 1697 lascia la descrizione, oltre che delle numerose statue del giardino, anche del "portone con due grossi pilastri a base quadra di meravigliosa fattura [che] sorreggono due cavalli di pietra bianca [...] eseguiti stupendamente tanto da sembrare vivi". Nel XVIII secolo, prospiciente questo *portone*, che segnava l'inizio di un lungo viale alberato, viene realizzata una seconda grande peschiera. Agli inizi del XIX secolo, a seguito della decadenza della famiglia Cornaro, il complesso cade in rovina, i palazzi vengono abbattuti, il giardino ridotto ad arativo. A metà del secolo il complesso, venduto ai Revedin, rinasce in forme completamente mutate. Il nuovo palazzo, opera dell'architetto veneziano Giovan Battista Meduna, viene costruito nell'angolo sudoccidentale della proprietà e il parco è impostato nel nuovo lessico paesaggistico, movimentando il terreno e creando collinette e avvallamenti. Intervengono anche Francesco Bagnara e il paesaggista francese Marc Guignon che disegna, oltrepassati i due possenti pilastri con cavalli, ornamento superstite dell'antico *portone*, il vasto anfiteatro della *cavallerizza*, dove riposiziona cinquantadue statue che ornavano il giardino formale settecentesco. Nel 1868 viene chiesta la consulenza di Antonio Caregaro Negrin, geniale architetto che progetta straordinari giardini in Veneto. A lui si deve la riorganizzazione di tutto il parco. Sfrutta i sedimi delle antiche peschiere, ne scontorna i bordi, unisce i bacini e così ottiene un incantevole lago di 1,5 ettari di superficie, con isolette collegate tramite ponti di ferro. Progetta la pittoresca *Cavana* per il ricovero delle barche e straordinario è il suo disegno per la *serra* curvilinea in stile moresco. Il parco è attualmente oggetto di un accurato restauro da parte dell'amministrazione pubblica che ne ha a cuore il recupero.

Carbonera (Treviso)

Parco di Villa Tiepolo Passi

La storia del luogo su cui sorge Villa Tiepolo Passi risale al periodo paleoveneto con la presenza di un castelliere, divenuto poi un presidio militare in epoca romana. La villa, di origini cinquecentesche, assume le forme gentilizie nel secolo successivo grazie a Ermolao Tiepolo, procuratore di San Marco e senatore della Repubblica di Venezia. Appartenente a una delle più potenti famiglie veneziane, decise di far edificare qui un sontuoso palazzo dominicale al centro di vasti possedimenti agricoli. La proprietà passò poi ai Valier e in seguito, a metà del XIX secolo, all'antica famiglia bergamasca dei Passi de Preposulo, attuale proprietaria. La posizione strategica di tutto il complesso si percepisce ancora alla vista dello straordinario viale prospettico che si estende per oltre 2,5 chilometri a sud della villa e prosegue a nord verso il centro abitato di Carbonera. Al corpo centrale della villa padronale, in stile veneziano barocco, si affiancano due ali simmetriche, disposte a mezza croce uncinata. Sul retro sobri edifici ospitano scuderie, granai, cantine e magazzini. Sul fronte si stende uno scenografico giardino all'italiana, con aiuole bordate di bossi e tassi splendidamente potati, racchiuso ai lati da un suggestivo parco romantico con ghiacciaia, grotte e alberi secolari. In passato il parco era attraversato da un articolato sistema idrico. L'acqua del Rio Piovensan, che delimita il complesso a nord e a ovest, veniva condotta all'interno del parco e suddivisa in una complessa rete di canali, alimentati anche da un pozzo. L' acqua veniva condotta alla fontana al centro del parterre e proseguiva alla peschiera, sorta di fossato di confine, che chiude il giardino all'italiana a sud. In passato era funzionante anche la ghiacciaia, dove un ingegnoso sistema di regolazione del flusso dell'acqua di una cascatella sul fianco della collinetta permetteva di ottimizzare durante l'inverno la produzione del ghiaccio, che poi veniva tagliato e conservato in un locale sotterraneo. L'acqua un tempo proseguiva il suo corso fino a un laghetto nel parco romantico della zona a est, veniva distribuita verso nord per irrigare il brolo e i frutteti per ritornare al Rio Piovensan e riprendere il suo corso. Tutto questo sistema funzionava grazie al solo movimento della ruota mossa dalla corrente del Rio e, all'interno del parco, per il principio dei vasi comunicanti. Questo raffinato sistema è una straordinaria espressione della conoscenza ingegneristica e dell'equilibrio tra estetica e funzionalità della "civiltà in villa": il laghetto, che con il suo isolotto, l'esile ponticello e la lussureggiante vegetazione diventava un punto d'attrazione pittoresco, era altresì un'importante riserva d'acqua cui attingere nei periodi di siccità. L'attenta conduzione della proprietà, che è tutt'ora una efficiente azienda agricola, mira ora al ripristino di questa straordinaria memoria storica.

Stra (Venezia)

Parco di Villa Pisani

È questo un sontuoso e monumentale complesso voluto dai Pisani agli inizi del XVIII secolo per affermare la potenza della famiglia, coronata nel 1735 dall'ascesa al dogado di Alvise Pisani. Fu incaricato del progetto l'architetto e letterato Girolamo Frigimelica cui seguì, alla sua morte, Francesco Maria Preti su progetto del quale fu realizzata la grandiosa villa. La caduta della Repubblica e gli ingenti indebitamenti nel 1807 costrinsero i Pisani a cedere la proprietà a Napoleone, che la regalò al figliastro Eugenio di Beauharnais, viceré del Regno d'Italia. La villa mantenne la destinazione a residenza reale durante il Regno Lombardo-Veneto, e successivamente al 1866, anche per il Regno d'Italia. Il vasto parco è opera di Frigimelica, che intorno al 1720, ispirandosi alle realizzazioni francesi, organizzò la vasta area, di circa dieci ettari, secondo un asse principale allineato alla villa e intersecato da lunghi assi diagonali che raccordano punti estremi, posti sul perimetro della recinzione a est e ovest del parco. Grandi aperture in forma di finestroni e portali consentono la vista dall'esterno di queste ampie prospettive. Frigimelica pose la maggior parte delle sue creazioni nella parte orientale del parco. Due degli assi prospettici si intersecano in corrispondenza dell'*Esedra*, padiglione esagonale con archi che si aprono sui lati concavi. A questa sono addossati simmetricamente due bassi e lunghi edifici, adibiti a magazzini per i giardinieri. Le testate di questi sono scenograficamente trattate in forma di portale rustico, con edicole laterali, e sono concluse superiormente da attici con vasi acroteriali. Un tempo sulle pareti a sud di questi edifici erano addossate le serre per il ricovero invernale della celebre collezione di agrumi, ora al posto delle serre vi sono due romantiche gallerie di glicine. Sempre nel settore orientale vi è il famoso *Labirinto*, con torretta belvedere centrale, e la *Kaffeehaus*, un padiglione quadrangolare classicheggiante che cela la sottostante *Ghiacciaia*. In asse alla villa fanno da spettacolare fondale le *Scuderie*. Tra la villa e le scuderie il grande *parterre*, fiancheggiato da due viali di ippocastani, allineati ai portali che si aprono simmetrici ai lati della facciata principale della villa, era tenuto a tappeto erboso. Nel 1911 al centro vi venne realizzato un grande invaso rettangolare, finalizzato a ricerche idrotecniche dell'Università di Padova, che nel 1913 venne trasformato in bacino monumentale e abbellito con l'aggiunta della vasca trilobata balaustrata. Il settore sinistro del parco nel corso del XIX secolo fu trasformato in bosco romantico. In quel periodo vi fu un interessante scambio di semi e piante di rare varietà con il Catajo a Battaglia Terme e con il parco dei Cittadella Vigodarzere di Saonara, ma piantine furono anche inviate nel 1824 allo Zar, a seguito della sua visita, e nel 1851 piante di agrumi andarono a incrementare la collezione di Schonbrunn.

Dolo (Venezia)

Parco di Villa Brusoni Scalella

Il parco di Villa Brusoni Scalella è sicuramente uno dei giardini più affascinanti e misteriosi tra quelli della Riviera del Brenta. La coerenza del disegno e l'ingegnosità delle soluzioni del complesso sistema idrico fanno pensare alla mano di un progettista di alto livello e spesso si è fatto il nome dell'architetto Giuseppe Jappelli. In realtà non si hanno documenti che possano comprovare questa attribuzione mentre una serie di documenti riguardanti richieste di concessione di approvvigionamento d'acqua dal naviglio Brenta, per l'abbellimento del "giardino", farebbero supporre una sua creazione dal 1852 in poi, anni immediatamente successivi alla morte del famoso architetto. La casa padronale e le barchesse con oratorio sono di probabile origine sei-settecentesca. La presenza dell'acqua e il suo straordinario utilizzo caratterizzano tutta la proprietà. Il punto di partenza del complesso sistema idrico è a nord della casa dove l'acqua proveniente dal Brenta si divide subito in due percorsi che procedono su due livelli differenti. Il corso più elevato alimenta il *Laghetto piccolo* e da qui defluisce dividendosi ulteriormente: da una parte prosegue verso la torre e dall'altra costeggia il *Lago* per gettarvisi all'altezza della *Casetta del pescatore*. L'altro corso alimenta, in successione, una piccola peschiera di fronte alla villa, un pozzo e infine sfocia anch'esso nel *Lago*, che è l'elemento intorno a cui ruota tutta la composizione. Oltre alla straordinaria presenza dell'acqua, nel parco si ritrovano molti elementi distintivi dello stile paesaggistico: a livello compositivo vi è la studiata alternanza di pieni e vuoti, morbidi rilevati del terreno concorrono a creare sempre nuove visuali, percorsi sinuosi aprono intriganti scorci visivi e vi è un intreccio continuo tra sentieri e corsi d'acqua. Sono presenti anche alcuni di quei caratteristici manufatti architettonici del repertorio dell'epoca che rendono ancora più suggestivi alcuni punti: la *Casetta del pescatore* sulla sponda del lago, la *Torre* neorinascimentale sulla collinetta, la *Ghiacciaia* con l'accesso ad arco gotico, la *Casa dei daini*. Inoltre un ricco apparato lapideo sottolinea punti salienti celati tra l'esuberante vegetazione. Il parco riveste un notevole interesse anche dal punto di vista botanico. Vi sono numerosi esemplari monumentali tra cui sono da notare alcune querce (*Quercus robur*), uno straordinario faggio rosso (*Fagus sylvatica* var. *atropurpurea*) e una sequoia della costa (*Sequoia sempervirens*) di notevoli dimensioni. Fanno da scenario verde esemplari di *Magnolia grandiflora, Platanus occidentalis, Sophora japonica, Taxodium disticum* e molte altre specie assimilabili al repertorio botanico del giardino paesaggistico inglese. L'incantevole sottobosco conta molte specie sempreverdi tra cui *Aucuba japonica, Ligustrum japonicum, Laurus nobilis* e *Bambusa mitis*. Tutto concorre a trasmettere a questo giardino un fascino fiabesco.

San Pietro di Stra (Venezia)

Giardini e parco di Villa Pisani detta "La Barbariga"

Sulla sponda destra del Brenta, lungo una strada secondaria che costeggia il fiume, si stende il lungo prospetto di Villa Pisani, detta "La Barbariga" o "la villa che ride sotto il sole", soprannome probabilmente attribuitole per il bellissimo parco che circonda la villa. Le prime notizie storiche relative al complesso risalgono alla fine del XVI secolo quando Marco Pisani dal Banco dichiara in loco la proprietà di una casa dominicale con brolo. Un'incisione del Coronelli del 1709 raffigura una villa con la facciata rivolta verso il fiume, un piccolo giardino formale sul fronte e un altro sul retro. Nel corso degli anni la villa fu oggetto di trasformazioni e ampliamenti; questi si devono probabilmente ai lavori intrapresi da Pietro Vittore Pisani, che negli ultimi decenni del XVIII secolo si dedicò al rifacimento degli interni e aggiunse al corpo centrale le due lunghe ali porticate neoclassiche. La facciata principale divenne quindi quella interna, rivolta a sud verso il giardino, mentre rimase in forme più austere quella rivolta verso il Brenta. Agli inizi del XIX secolo l'idea di trasformare l'area circostante in parco all'inglese si deve a Chiara Pisani, moglie di Giovanni Barbarigo, che chiese la collaborazione dell'architetto Gianantonio Selva, uno dei più insigni rappresentanti dello stile neoclassico in Veneto. La contessa Pisani, brillante figura dell'aristocrazia veneziana, dopo la morte prematura dell'unico figlio Alvise, qui vi si ritirò, votandosi a opere filantropiche. Come riportato nell'elogio funebre, letto in occasione della sua morte avvenuta nel 1840, il parco venne da lei concepito soprattutto allo scopo di dare un'occupazione ai tanti braccianti alla ricerca di un lavoro. Il vasto parco divenne presto celebre, anche per le cacce alla lepre "d'autunno, quando il grido della generosità del Barbarigo annunziava fin oltre l'Adige quella famosa cacciagione di lepri". Le battute di caccia culminavano in grandi tavolate sotto i porticati cui era invitato tutto il contado. Statue di cacciatori e contadini intenti a questa pratica, che un tempo erano disseminate nel parco, si possono ammirare ancora oggi sotto le arcate dei porticati. Un accurato rilievo planimetrico del 1843, eseguito quindi tre anni dopo la morte della contessa Pisani, è una preziosa testimonianza del disegno originario del parco, tra cui spiccano i nomi di alcune aree dedicate all'"amicizia" o al "romitaggio". Arricchiscono il parco un complesso disegno di sentieri, la neogotica *Casetta nel bosco*, un suggestivo laghetto, dal quale era separata una piccola peschiera, erte montagnole e una *Grotta dei cigni*. La studiata disposizione della vegetazione rispecchia i canoni stilistici tipici del giardino romantico. Il parco è giunto fino a noi in gran parte integro nella sua originaria bellezza, e conserva molti di quegli elementi che lo caratterizzano come uno dei più suggestivi parchi paesaggistici in Veneto.

Lendinara (Rovigo)

Parco di Cà Dolfin Marchiori

Il grande palazzo, che dal XV secolo apparteneva ai Dolfin di San Trovaso, prese le forme attuali, probabilmente su disegno di Vincenzo Scamozzi, alla fine del XVI secolo. Ebbe successivamente vari passaggi di proprietà fino a che nel 1843 fu acquistato da Giuseppe Marchiori. Domenico Marchiori, figlio di Giuseppe e trisnonno degli attuali proprietari, dopo studi matematici a Padova e un viaggio in Inghilterra, preferì seguire la sua vocazione artistica dedicandosi alla pittura e alla creazione di questo straordinario luogo. Tra il 1868 e il 1887 sui terreni retrostanti, che erano sempre stati coltivati a orto e vigneto, realizzò un incantevole parco in stile paesaggistico, sapientemente costruito in un susseguirsi di episodi che i suoi ospiti potevano seguire in barca, lungo un itinerario d'acqua. Oramai parte dei canali non è più navigabile, ma il parco mantiene inalterata la sua capacità di sorprendere il visitatore. Ecco dunque svelarsi all'improvviso, tra la boscaglia, la *Casetta del pescatore*, un piccolo edificio posto a ponte sopra il corso d'acqua, le *Grotte*, luoghi oscuri e ipogei con rimandi esoterici, le *Rovine romane* collocate in una piccola radura tra alti alberi, dove si conservano frammenti lapidei e antiche colonne, la *Cavana*, così chiamato l'approdo per le barche, la *Casa giapponese* con le sue curiose porte ovali e le tracce di affreschi raffiguranti dame giapponesi, e la *Pagoda cinese*, utilizzata come voliera per pavoni.

Attraversato un monumentale portale neogotico in mattoni si procede lungo un maestoso viale di carpini. Un cancello, custodito da un'aggrottata statua di Giove, introduce a una delle sponde del corso d'acqua che porta al lago. Un tempo questo lungo canale era completamente coperto dalla vegetazione e con la barca si procedeva sotto una volta di rami ombrosi fino a raggiungere il lago. Domina la scena una collinetta con alla sommità una *Torre* neogotica il cui portale dà accesso alla *Ghiacciaia*. Ritornando verso il palazzo si raggiunge un altro laghetto al centro del quale vi è l'*Isola della poesia*, raggiungibile tramite un ponticello in legno. Il percorso prosegue lungo il viale delle viti di Cipro e costeggia il brolo, un vasto spazio cinto da muri, adibito da secoli a frutteto, e riporta pian piano verso la nobile dimora, nella penultima "stanza". Completamente circondata dall'acqua, racchiude un giardino circolare più formale, cui fanno ornamento antichi tassi topiati. Due eleganti e simmetriche serre neoclassiche, utilizzate per la protezione invernale dei vasi di agrumi, si appoggiano al muro perimetrale. Un ponticello, ornato da due panche in legno, introduce infine al giardino formale su cui affaccia il fronte interno del palazzo. Oltre alla straordinaria fantasia e sensibilità artistica del suo ideatore il parco mette in risalto il sapiente uso delle specie botaniche che producono straordinari giochi prospettici e raffinati cromatismi in tutte le stagioni.

English Texts

Gardens between villas and the countryside. From places of *otium* to summer houses.

Giuseppe Rallo
Superintendency for Archaeological and Landscape Heritage for the provinces of Venice-Belluno-Padua-Treviso
Director of the Villa Nazionale Pisani Museum

"A beautiful and broad path... between laurels and myrtles... and among many hazy and ornate gardens of cedars, oranges and lemons (leads to) the noble palace built on a high and distinguished rock"; this was how Silvano Cataneo, a member of the Academy of Salò on Lake Garda, described the villa in Punta San Vigilio that belonged to the intellectual, Agostino Brenzone, highlighting the idea and atmosphere of the first wave of villas with gardens built across the Veneto. "A small holding for the amusement of gentlemen" was the definition used by Anton Francesco Doni in *Le Ville* in 1566, pointing out, among others, the elements of a villa that allowed it to become a part of the surrounding countryside, such as loggias, courtyards and terrace. Far from the hustle and bustle of urban life, a place for reflection, taking care of the body and mind, something that was not necessarily linked, at least at first, to the agricultural entrepreneurship that would become the natural next step for these first villa experiences and would reach its peak from the mid-sixteenth century onwards. Gardens of "delight", full of trees, flowers and fruit, for lingering in rustic peace and strolling; they would soon become places where the "simple life" would mingle with "holy agriculture", a prerequisite if they really were to become landscape devices.
The gardens of the many villas of the Veneto, despite the alternating fortunes of the last two centuries, are still characterised by sweeping landscapes of planes and hills, important waterways and historic streets; the countryside and lake shores make them unique and recognisable, one of the most significant components of this region's character. We owe this singularity to the architects and owners over the course of four centuries; it is expressed, on the one hand, precisely through its relationship with the landscape and its structure, and, on the other, in the way it strives constantly to be valuable and delightful. It makes the gardens of a villa a unique and indispensable asset that goes beyond the dimension of "designed natural beauty" to become an authentic record of the culture of the Veneto.
Gardens, villas and landscapes are "complementary and inseparable", capable of shaping the land. We can define them as genuine generators of landscape, releasing them from the role of mere complement to the villa because they are almost always elements that mediate between the architecture of the residence and the surrounding road and hydraulic networks.
They were extensive and markedly characterised by a strict geometric design whenever space and the countryside were not considered worthy of the owner's gaze, or small and precious whenever, on the other hand, hills or mountains, water or forests became a direct part of the garden's beauty. Many of these gardens were almost exclusively composed of plants, and therefore particularly subject to change, loss of design and adjustments made by the whims of nature. Despite this, whenever we visit them today we can nevertheless sense a wealth of themes, assonances, combinations and forms, often to do with their ability to link elements, in their present form: sections, sculptural decorations, buildings, greenhouses, trees and bushes that tell both the time and story of the families that lived in and visited them. Villa gardens of the fifteenth and sixteenth centuries, mindful of the experiences of the first Venetian gardens on Giudecca and Murano, were, for the most part, organised and created through pergolas of vines and jasmine, espaliers of fruit

and flowers against boundary walls. They later welcomed broad hedges, large flowerbeds and then parterres of flowers, *broderies*, plant architecture such as mazes, outdoor theatres, rose and citrus galleries and hornbeam avenues. However, from the second half of the sixteenth century there was no shortage of orchards and vineyards, kitchen gardens near rows of statues and vases, fountains and sometimes complex pieces of plant architecture. Only in a few cases, and generally on a hill or its slopes, was space defined by walls and staircases, such as at Villa Verità in San Pietro di Lavagno, Villa Trento da Schio in Costozza di Longare, Villa Rovero Bonotto in San Zenone degli Ezzelini or Villa della Torre in Fumane, and in many other cases where the garden has adapted to sloping surfaces. Of course there are plenty of examples of refined architectural creations and pavilions, backdrops and nymphaeums, caves and nineteenth-century stage sets, greenhouses and stores for rare plants and citrus trees, from the Giusti Gardens in Verona to the large fish pond of Villa Scopoli and the refined pavilions and stage machinery of the Villa Pisani in Stra; from the nymphaeum at Villa Barbaro in Maser to that at Villa Barbini in Asolo, and the list could be even longer, particularly with regard to gardens created from the seventeenth century onwards. The design for Villa Soranzo in Fiesso d'Artico on the Brenta Riviera is emblematic in this sense. By the hand of the Venetian architect Antonio Gaspari and kept at the Museo Correr in Venice, the themes of gardens of the Veneto take on a markedly ornamental character; it shows fountains with jets of water, a large rotunda with a *parterre de broderie*, bordered by balustrades with statues, an elliptical *odeo* with a central oculus that lets in light to "enjoy harmony in perfection", and a double *cedrara* "with its noble promenade through the leaves", which was supposed to end in a cave with jets of water. This design is far removed from the first villa gardens. Pleasure was now linked to whim, to the originality of the ornamental motifs, to an iconographic and symbolic programme that recalled myths and deities, ideas and virtues before the period of ostentation already heralded by Vincenzo Scamozzi, who would be the first to assert that: "Gardens, in their size and space, pay homage to the honour of the house; and especially if there are water features and pergolas". Elaborate and particularly original, the many follies built by designers from Jappelli to Caregaro Negrin should not be forgotten; these contributed to creating scenes and the picturesque, if not sublimely romantic landscapes found in the many compositions that took the place of a number of pre-existing regular gardens. The neo-Medieval architecture of Villa Brusoni Scalella Dolo, or the original yet fragile architecture of Villa Marchiori in Lendinara, the Castelletto del Belvedere in Mirano – with its extraordinary collection of seemingly underground caves – and the exceptional complex of caves in the grounds of Villa Papafava in Frassanelle are just some of the examples of a remarkable heritage we have a duty to preserve.

From scholarly *otium*, the pleasure of refined and peaceful conversation amid scents produced by espaliers and pergolas – which nevertheless complemented *negotium* – to the surprise, bordering on wonder, of seventeenth-century gardens, such as those of the Villa Barbarigo in Valsanzibio, one of the best preserved gardens in the region, where, despite nineteenth-century transformations, the original layout and many of its seventeenth-century elements are still recognisable. This garden now appears to be made of broad boxwood hedges, lawns, flowers and water features that accompany the visitor throughout, and somehow also spring surprises.

The gardens of villas in the Veneto are more than a complement, one that merely provides decoration to the building. They are often generated by a meeting between architectural geometry and the geometry of the countryside, coming together in a design that is a tight symbiosis of directions, perspectives and positioning. The meeting between these two geometries provides the gardens with their structure, as shown by the example of the engravings of Villa Sagredo in Marocco di Mogliano, published by Paolo Bartolomeo Clarici in his *Istoria e coltura delle piante* (History and culture of plants) in 1726. The extension and design of the gardens make the villa and its open barns a substantial part of the overall composition, a favoured and primary reference, but also one of the elements of the large designed space. It was built almost exclusively from plants, sculptures and pots on level ground; a long and broad avenue, both before and after, announced the large garden and intertwined it with the extensive system of the Via Terraglio and the agricultural land. The extent of the gardens is often indicated by a surviving boundary wall. This could be emblematic, as in the case of Villa Garzone in Pontecasale, designed by Jacopo Sansovino, or that which surrounds the Villa dei Vescovi in Luvigliano and the later Villa Widmann Borletti in Bagnoli, and many more besides. In many examples, the boundary wall is decorated with imposing and original gateways; these varied in terms of their elaborate design and contributed to identifying the villa in the landscape. It was not by chance that the theme of the gateway would find favour and development between the seventeenth and eighteenth centuries. We need only think of the examples designed by Girolamo Frigimelica Roberti at Villa Pisani in Stra, or those of Francesco Muttoni for Villa Trissino in Trissino, with elaborate and rich wrought-iron railings. The gateway framed the main "perspective" of the garden in the foreground and the villa, offering the most amazing views to passers-by and visitors.

But the richness and beauty of the gardens were not only entrusted to the intermingling of plants, statuary, water and landscape: often, and in the seventeenth century in particular, it was flowers and citrus fruits that were the distinguishing features of the gardens of the Veneto. True emblems of the taste and refinement of the family, who had already experimented with them in their small Venetian gardens and were now using them on a much larger scale, for their own pleasure and sometimes for display in the ever broader expanses of villa gardens. Well-known examples of this include the flower garden planned by Muttoni at Villa Trissino in Trissino; the roses documented at Villa Barbarigo; the many carnations that decorated the flowerbeds of nineteenth-century gardens; and rows of bulbs and jasmine, with a strong scent that merged with those of orange and lemon blossom. Citrus trees were ubiquitous when it came to marking out flowerbeds, the corners of lawns, along south-facing walls and in the temporary orangeries intended to give the owners of the villa the note of the Mediterranean and legendary aspiration that was so sought-after in these gardens.

Giusti Gardens in Verona

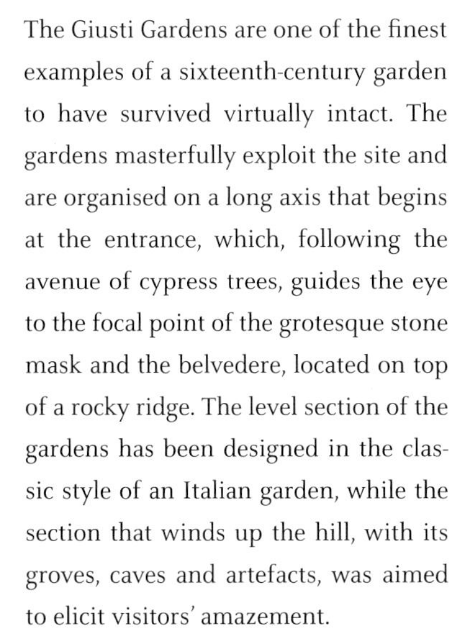

The Giusti Gardens are one of the finest examples of a sixteenth-century garden to have survived virtually intact. The gardens masterfully exploit the site and are organised on a long axis that begins at the entrance, which, following the avenue of cypress trees, guides the eye to the focal point of the grotesque stone mask and the belvedere, located on top of a rocky ridge. The level section of the gardens has been designed in the classic style of an Italian garden, while the section that winds up the hill, with its groves, caves and artefacts, was aimed to elicit visitors' amazement.

The elaborate parterres of the level section are decorated with antique statues, while a frame to the right contains a labyrinth. The cypress avenue leads to the Cave of Mirrors, an artificial cave hollowed out of the rock that has been lined with shells, landscape paintings and mirrors that create the illusion of a loggia overlooking the gardens.

Further along the base of the buttresses that support the hill stands a tower with an internal carved spiral staircase; this connects the middle section of the gardens to the upper section that enjoys enchanting views.

Gardens of Villa Arvedi in Cuzzano (Verona)

North of Verona, facing east from a gentle slope and surrounded by a forest of oak trees, Villa Arvedi is remarkable for its monumental magnificence. The current building dates back to the mid-seventeenth century and makes use of the great stylistic features of the Baroque period. At the rear, an imposing semi-circular containing wall is decorated with niches and topped with an ornate balustrade. The Chapel of San Carlo stands at the end of this view. A backdrop of cypress trees and cedars of Lebanon blends into the surrounding olive groves. At the front of the villa, space for a sumptuous garden has been created by regulating the slope of the land with terraces. Enclosed by low walls, the garden's only function is to provide sophisticated aesthetic enjoyment for the villa. The view to the north is blocked by one of the wings that houses a complex of caves; these have been partially hollowed out of the hillside and lined with shells and stalactites. The complex design of the *parterre de broderie*, with its Baroque curves, dates back to the seventeenth century, in keeping with the taste for French-style gardens, while the large boxwoods of the central axis are some of the rare surviving examples of the original planting.

Gardens and grounds of Villa Pompei Sagramoso in Illasi (Verona)

The estate of Villa Pompei Sagramoso extends over approximately 60 hectares of woodland, vineyards and olive groves, just outside the town of Illasi. The villa in its current form dates back to 1685, when the sixteenth-century section was swallowed up by the imposing main building and the seventeenth-century construction became the left-hand wing. Further buildings were then added to mark out the courtyard of honour. A very long avenue begins to the east, lined with cypress trees; it still rises straight up to the top of the hill that was home to Illasi's Scaliger Castle. In 1830, Count Antonio Pompei created a huge garden on the slopes of the hill, designed in keeping with landscaping trends of the time, in which the ruins of the ancient fortress became a focal point; as a passionate botanist, he then enriched it with countless species of trees, including many with exotic origins.

To the south of the villa, he built Moorish-style greenhouses and a formal garden, decorated with fountains and water features. Thanks to careful maintenance by the owners, the gardens still extend through magnificent vineyards, under the watchful eye of the ruined castle.

Gardens of Villa Mosconi Bertani in Nòvare (Verona)

Villa Mosconi Bertani is located just a few kilometres from Verona in a pleasant valley protected from the winds. The complex survives as it appeared after a late eighteenth-century extension that maintained the unity between the patrician buildings and the agricultural production buildings, creating a noble whole. The grand building is topped by an attic with statues and consists of a main section with two perpendicular wings. In the late eighteenth century, the large gardens were laid out behind the villa. Beautifully positioned within the surrounding countryside, they make use of gentle slopes, gorges and numerous water sources. On the right lies the *brolo*, a vineyard surrounded completely by stone walls. On the left, the property is enclosed by gentle hills rich in water sources. Impressive examples of *Taxodium disticum* grow on a small island in the middle of the lake and are reflected in the water; the lake itself was probably created in the first half of the nineteenth century. An eclectic style chalet makes a pleasant refuge in this peaceful place.

Gardens of Villa Rizzardi in Pojega di Negrar (Verona)

Laid out in the late eighteenth century, these gardens are an extraordinary example of a fusion of the style of a traditional Veneto garden with the canons of English-style gardens. Both make the best use of the theatrical potential by creating spectacular areas within the geometrical structure provided by the network of broad avenues. Particularly interesting features include a long hornbeam avenue that leads to the spectacular *Teatro di verzura* (Natural Theatre), made of boxwood and cypress trees. The formal garden leads up to the small lake, an oval basin with a group of statues in the centre, enclosed within high hedges of cherry laurel. The lake's main axis extends visually upwards to the greenhouses and then beyond to the long avenue of cypress trees.
Home to a temple, the small wood leads to another of the garden's stunning features, the belvedere, the result of extraordinary compositional virtuosity in which a double staircase wraps around an octagonal building topped with a balustrade.
The eastern side, linked to the villa by a small bridge, opens onto a secret garden, which includes a *nymphaeum* backdrop with grotesque niches in which watchful statues ensure that peace reigns in the gardens.

Gardens of Villa Del Bene Scopoli in Avesa (Verona)

In the late sixteenth century, the Dal Bene brothers purchased the property from a monastic order and commissioned the architect Vincenzo Scamozzi to restore the buildings. The conservatories, or *limonaie*, are mentioned in his book *The Idea of a Universal Architecture* and have been attributed to him. After several changes of ownership, in 1849 the villa passed into the hands of the Scopoli counts until 1994 when the last heir donated the complex to the Don Mazza Foundation.
The seventeenth-century gardens extend to the east of the villa towards the slopes of the hill. The hill is still home to the belvedere, which was built here to take advantage of its slopes. The monumental elliptical fish pond is located to the south, through a massive rusticated gateway. This is bordered by a stone balustrade and decorated with water features. The caves, decorated with stucco, shells and stalactites, are in line with the entrance gateway. The entire complex is bordered by a wall, punctuated on the inside by pilasters, niches and two Doric *aediculae* with telamones. In the mid-nineteenth century, Count Ippolito Scopoli redesigned the gardens and created a romantic landscape, allowing visitors to enjoy picturesque views that open out from the wooded hill.

Gardens of Villa Verità Fraccaroli in San Pietro di Lavagno (Verona)

Villa Verità was built in the late sixteenth century and later remodelled in the eighteenth century. Making use of the slope behind the palace, the garden is structured on four levels linked by monumental staircases and is reminiscent of the sumptuous creations typical of Roman Renaissance. A large suspended parterre makes up the ground level. The central fountain is the pivot for the perfect composition of the whole: it sees the intersection of the median axis, as it relates to the back of the villa, with the perpendicular axis that crosses the garden from upstream to downstream. Beneath the parterre garden, a large rectangular grotto has been carved out of the supporting embankment; it is accessed through three openings hollowed out of the imposing rusticated retaining wall. Inside, three fountains are fed with water that, after supplying the entire upper garden, thunders down into the large fish pond. The balustrade of the staircase that descends from the middle terrace is decorated with an interlaced pattern cut through by a rivulet of running water, a reminder of similar examples at the Villa Lante in Bagnaia or the Villa Farnese in Caprarola.

Gardens and grounds of Villa Valmarana ai Nani in Vicenza

The construction of the villa – built by the jurist from Vicenza, Giovanni Maria Bertolo – dates back to 1669; by 1683 it had already been praised for its beauty in a collection of poems. In 1720, Giustino Valmarana purchased the villa and entrusted the restoration of the entire complex to the architect Francesco Muttoni. His work focused on the villa itself, the entrance gateways, the guest quarters and the monumental stables. It is likely he was also responsible for the organisation of the surrounding area. In 1757, Gianbattista Tiepolo and his son Giandomenico were invited to decorate the interiors of both the villa and guest quarters, creating a series of magnificent fresco cycles. In the late eighteenth century, Elena Garzadori Valmarana began redesigning the gardens, creating, among other things, a small botanical garden in the parterres. She was assisted by her son Nazario, who continued the work begun by his mother. He created gardens in which, influenced by the landscape style, he built a Chinese pagoda and planted rare and exotic botanical species. An intimate sunken formal garden, bordered by boxwood hedges, lies between the villa and the guest quarters.

Gardens and grounds of Castello Grimani-Marcello-Sorlini in Montegalda (Vicenza)

The origins of the complex date back to the early eleventh century when a defensive tower stood on top of the hill. Over the centuries, the buildings were rebuilt and enlarged on many occasions, maintaining their military function until the sixteenth century. The fortress then took on the appearance of a stately residence, and the design of the gardens, created by taking advantage of the slopes surrounding the castle, dates back to the second half of the seventeenth century. A winding avenue gently leads up from the entrance gate to the top of the hill. Continuing the ascent to the castle, an elegant access ramp leads to a drawbridge and the garden enclosed by low walls, decorated by statues of *putti*, made, like all the statues in the garden, in the workshop of Orazio Marinali.
On the right, in line with the drawbridge, a monumental gate, supported by two pillars topped with statues, marks the entrance to the formal garden, which is home to more than a hundred potted lemon trees, placed on low stone pedestals. The drawbridge leads into the internal courtyard: the regular internal façades and the stone balustrade, decorated with statues that crown the top, give the site its understated elegance.

Gardens of Villa Trento Da Schio in Costozza di Longare (Vicenza)

The layout of the gardens dates back to the second half of the sixteenth century, when Francesco Trento designed this extraordinary garden by adapting it to the impractical slope and embellishing it with fish ponds, fountains and aviaries.
Landscaping work carried out during the nineteenth century changed the site; the current owners undertook a careful programme of restoration in the 1920s, which brought the gardens back to their former splendour.
The garden is divided into five terraces, against the backdrop of a rocky ridge topped with cypress trees.
Once through the impressive entrance, a view opens up of terraces connected by monumental staircases, decorated with statues. The most impressive staircase is centred around the Fountain of Venus. Statues of Diana and Actaeon stand on top of pillars. Two side staircases lead to the penultimate terrace, marked out by the Basin of Neptune, the focal point of the garden. The final terrace culminates in the unusual *Ficus repens* loggia, a plant that dates back to the days of the Trento family. Alongside the villa, descend the beautiful Dwarf's Staircase to the rotunda and the romantic nineteenth-century wood located above the icehouse.

Gardens of Villa Fogazzaro Roi Colbachini in Montegalda (Vicenza)

The origins of the complex date back to the fifteenth century. In 1846, the new owner, Giovanni Antonio Fogazzaro, grandfather of the famous writer Antonio Fogazzaro, commissioned the architect Antonio Caregaro Negrin to redesign and extend the existing seventeenth-century summer house. He was responsible for the current late neoclassical appearance of the buildings as well as the design of the gardens. These are criss-crossed by an elaborate network of watercourses, crossed by small bridges, which lead to a picturesque lake. The gardens are home to a number of ornamental species, including some significantly large examples, which combine to create an extremely attractive space.
A formal garden, linked to the villa by a broad staircase, extends to the left of the building, beyond the aristocratic chapel and opposite the impressive orangery. The property is enclosed to the east by a long wall, with an unusual garlanded design decorated by stone pine cones. On the nearby hill, part of the vast landscaped grounds, stands the observatory, a tower-shaped building with merlons and a terrace; it was once used as a hunting lodge.

Gardens and grounds of Villa Trissino Marzotto in Trissino (Vicenza)

The first Trissino settlement dates back to the eleventh century and took the form of a fortress. In the fifteenth century, the medieval building was transformed into a country residence and subsequently, between 1718 and 1722, the villa was extended into its present form, as designed by the architect Francesco Muttoni. Muttoni was also commissioned to design the gardens, which integrate the slopes of the hills and the buildings in an extremely harmonious way. The entire complex is a remarkable example of an eighteenth-century garden, with covered and open-air walkways, elevated gardens, panoramic terraces, fish ponds and elaborate sculptures created by Orazio and Angelo Marinali. Located further downstream, the lower villa was also designed by Muttoni. It was opened in 1746 but damaged by fire on two occasions, once in the late eighteenth century and then in 1841. Following the second fire, a decision was taken to consolidate the remains, enhancing the features of the ruin to create an extraordinarily scenic element.
Large grounds of approximately 20 hectares extend around the villa; these are rich in botanical species and large tree specimens.

Rossi Jacquard Gardens in Schio (Vicenza)

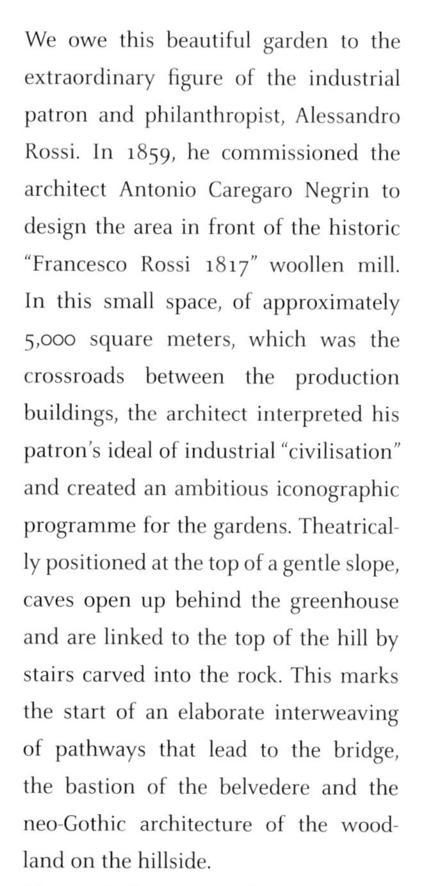

We owe this beautiful garden to the extraordinary figure of the industrial patron and philanthropist, Alessandro Rossi. In 1859, he commissioned the architect Antonio Caregaro Negrin to design the area in front of the historic "Francesco Rossi 1817" woollen mill. In this small space, of approximately 5,000 square meters, which was the crossroads between the production buildings, the architect interpreted his patron's ideal of industrial "civilisation" and created an ambitious iconographic programme for the gardens. Theatrically positioned at the top of a gentle slope, caves open up behind the greenhouse and are linked to the top of the hill by stairs carved into the rock. This marks the start of an elaborate interweaving of pathways that lead to the bridge, the bastion of the belvedere and the neo-Gothic architecture of the woodland on the hillside.

The vertical nature of the composition is accentuated, and the skilful arrangement of the masses of vegetation directs the gaze towards hills outside the gardens. The distinctive bell tower of the sixteenth-century church of San Rocco, upstream of the complex, was added by Caregaro Negrin as a focal point for the entire composition.

Gardens of Villa Rossi in Santorso (Vicenza)

The gardens, which cover an area of approximately 4.5 hectares on the hillside, are a striking example of the late nineteenth-century landscape style. In 1865, Alessandro Rossi commissioned their design from the brilliant architect Antonio Caregaro Negrin, who interpreted the trust of his patron in industrious work aimed at prosperity and social harmony. The villa and the gardens themselves continue to be reminiscent of a golden age, which is reflected by the architect in the Pompeian style apparent in the garden's buildings and artefacts. This is the case with the small temple, which is partly underground; from the outside it has the appearance of a ruin, but it is decorated inside in a neo-Pompeian style with glass walls that form a magical aquarium fed by the waters of the gardens and home to swimming goldfish. Narrow paths gently wind down the slope, intersecting with the many streams, waterfalls and water features that flow into the large lake below. Its banks are dotted with the aerial roots of the majestic *Taxodium disticum*. The wealth of plant species is remarkable, including magnolias, horse chestnuts, groves of yew trees and an imposing Himalayan pine.

Gardens of Villa Contarini in Piazzola sul Brenta (Padua)

The complex stands on the foundations of a fourteenth-century Carrara castle. Marco Contarini, Procurator of San Marco, was responsible for the impressive works that began in 1676 and transformed the complex into one of the most sumptuous mainland residences of the Venetian Republic. It was the site of phantasmagorical performances aimed at amazing the illustrious guests of the Venetian nobility and foreign princes that often visited Piazzola.

After a long period of neglect, the property was acquired in 1852 by the Duke Silvestro Camerini, who began an extensive programme of restoration carried out between the nineteenth and twentieth century. This period saw the creation of the extensive gardens with the planting of large masses of trees and the digging of the lake. The current grounds extend for approximately 45 hectares and are split into various sections, linked by imposing avenues. Large woods give way to clearings and valuable artefacts, and the many canals and watercourses form a complex and rich water system that supplies fountains and fish ponds as well as the picturesque lake with its island. The property is now owned by the Veneto Region and is undergoing a careful programme of restoration.

Gardens of Villa Cittadella Vigodarzere in Saonara (Padua)

Approximately 10 km south east of Padua lie some of the most extraordinary gardens, the brainchild of Giuseppe Jappelli. Antonio Vigodarzere commissioned him to interpret his innovative ideas, creating a garden that became a clear demonstration of his philanthropic solidarity, offering opportunities for work to hundreds of peasants ravaged by the famine of 1816. The architect, thanks to his hydraulic and scenographic expertise, transformed the flat countryside into an extraordinary English garden, creating a perfect illusion capable of deceiving even the most astute visitors.

The gardens see a skilful mastery of the repertoire that characterises the landscape style, highlighting above all the romantic character of nostalgia for the Middle Ages.

Jappelli worked on the gardens in stages, until his death in 1852. To form the woods, which seemed natural and spontaneous, he planted more than 35,000 trees, creating the streams, waterfalls, pleasant hills and the large lake, a mirror to the majestic trees, from nothing.

Gardens of Villa Widmann Borletti in Bagnoli di Sopra (Padua)

The Bagnoli property was purchased in 1656 by the rich Widmann family, who had risen through the ranks of Venetian nobility thanks to their support of the Siege of Candia. The new owners commissioned magnificent works to transform the early monastic buildings and the design of the monumental main building has been attributed to Baldassare Longhena. In the following century, the villa became a cultural *salon* where even Carlo Goldoni loved to spend his summer "holiday" as a guest of Count Ludovico Widmann. His plays were performed in a theatre in one of the villa's drawing rooms, an enjoyable occasion for which the noble guests transformed themselves into actors taking on the roles of Pantalone, Harlequin, servants and maids.

The gardens are decorated by 160 eighteenth-century statues; Tommaso Buzzi, the visionary Milanese architect, was commissioned to reorganise them in 1942. He used his "theatrical vocation" to imaginatively adapt the architectural elements of the past, relocating some of these antique statues to the wings of an outdoor theatre, like petrified characters straight out of the pages of a Goldoni play.

Gardens of Villa Pisani Scalabrin in Vescovana (Padua)

The Venetian Pisani family, which produced doges, ambassadors and cardinals, acquired extensive estates in this area in the fifteenth century. Towards the late eighteenth century, the Pisani family experienced financial difficulties and focused their attention on their land in Vescovana. In the mid-eighteenth century, their story interweaves with that of Evelina van Millingen, an Englishwoman born in Constantinople, who, in 1852, married Almorò III and settled with him in Vescovana. Evelina created a stunning garden in front of the villa, capturing the cultures of her background: the taste for Victorian English gardens combined with the design of flowerbeds typical of Italian gardens, dotted with echoes of the Islamic gardens she had experienced during her childhood. The flowerbeds follow a fan design and are embellished by beautiful boxwood hedges and large trimmed yew trees. Flowers begin to bloom in spring and culminate with the extraordinary roses.

In the late 1960s, the property was acquired by its current owners, the Bolognesi Scalabrin family, who have carefully returned both the villa and gardens to their former glory.

Gardens of Villa Barbarigo in Valsanzibio (Padua)

They originally date back to the seventeenth century when the Venetian Barbarigo family decided to build a residence worthy of their rank here. Work was carried out in several stages from the fourth decade of the seventeenth century until the early eighteenth century, given impetus by Antonio Barbarigo, Procurator of San Marco from 1697, and brother of Gregorio, Bishop of Padua. The seventeenth-century gardens, some of the most extraordinary and best preserved, were regularly divided through a system of orthogonal avenues. Along the east-west axis, which begins at the monumental Diana Gateway, lies a succession of water features and fish ponds, which are richly sculpted and reminiscent of Roman Baroque gardens. South of the fish ponds, the famous maze is one of the esoteric elements suggested by the gardens, linked to the neo-Platonic philosophical ideals dear to their designer. In the early nineteenth century, the property was inherited by Lodovico Martinengo da Barco, who was responsible for the landscape-style additions to the gardens. In 1930, the complex passed into the hands of the Pizzoni Ardemani counts, the current owners who undertook the restoration of the garden.

Gardens of Castello di San Pelagio in Due Carrare (Padua)

In the seventeenth and eighteenth centuries, the Zaborra counts, to whom the complex belonged until the late seventeenth century, transformed the fourteenth-century Carrarese turreted fortification into an aristocratic residence through significant expansion.
Traces of the complex's former defensive vocation are still visible from the road thanks to the tower with Guelf crenellations that stands in the centre of the eighteenth-century façade.
The subdivision of the surrounding area, created by the layout of the buildings, has been expertly exploited to form the gardens, admired for their collection of roses and ancient tree species. A double row of ancient *Carpinus betulus* have been pruned to create a green tunnel. These hornbeams, a typical element of antique gardens, served as a link between the residence and the fields and still lead to the mound that conceals the icehouse.
It was from here that D'Annunzio took off for his flight over Vienna on 9 August 1918. Inspired by this undertaking, the complex is now home to the Museum of Flight, which covers the entire history of human flight. The gardens are also home to two mazes, reminiscent of the labyrinth in Knossos and the myth of Icarus, therefore of the history of human flight.

Gardens of Villa Cornaro Revedin Bolasco in Castelfranco Veneto (Treviso)

The property, known as *Il Paradiso*, belonged firstly to the Venetian Morosini family, then to the Corner family. In 1607, the architect Vincenzo Scamozzi was commissioned to redesign the complex. The garden was enclosed by a wall and decorated with fine statues by Orazio Marinali. In the early nineteenth century, following the demise of the Cornaro family, the complex fell into ruin; the palaces were torn down and the gardens were reduced to farmland. By the mid-nineteenth century, the property had been purchased by the Revedin family and was brought back to life and completely altered thanks to a design by the Venetian architect Giovan Battista Meduna, which gave the gardens a new landscaped style. Francesco Bagnara and the French landscape designer Marc Guignon were also involved; Guignon designed the vast *cavallerizza* amphitheatre, where he repositioned fifty-two statues that had decorated the eighteenth-century formal garden. In 1868, advice was sought from Antonio Caregaro Negrin, who, by taking advantage of the earlier fish ponds, obtained a beautiful lake, with small islands connected by iron bridges and a *cavana*, or boat shelter. His drawing for the curved Moorish greenhouse is extraordinary.

Gardens of Villa Tiepolo Passi in Carbonera (Treviso)

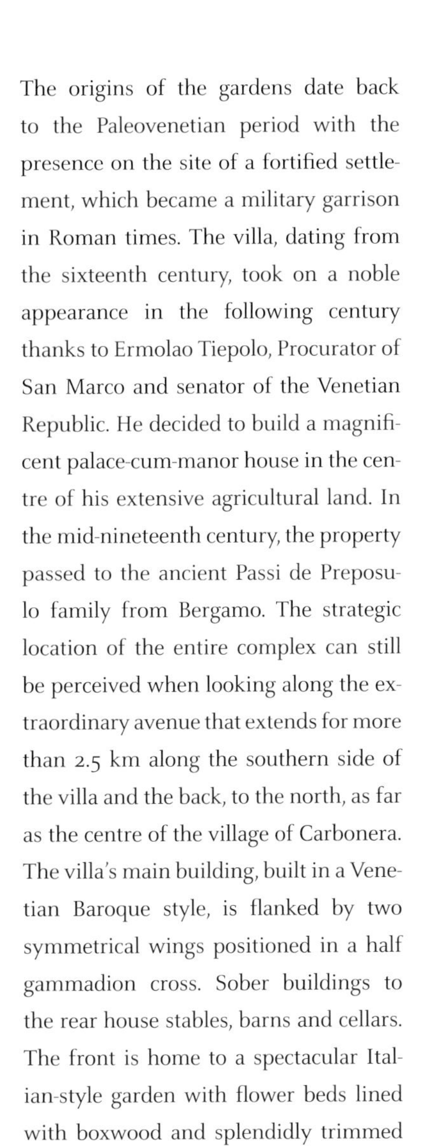

The origins of the gardens date back to the Paleovenetian period with the presence on the site of a fortified settlement, which became a military garrison in Roman times. The villa, dating from the sixteenth century, took on a noble appearance in the following century thanks to Ermolao Tiepolo, Procurator of San Marco and senator of the Venetian Republic. He decided to build a magnificent palace-cum-manor house in the centre of his extensive agricultural land. In the mid-nineteenth century, the property passed to the ancient Passi de Preposulo family from Bergamo. The strategic location of the entire complex can still be perceived when looking along the extraordinary avenue that extends for more than 2.5 km along the southern side of the villa and the back, to the north, as far as the centre of the village of Carbonera. The villa's main building, built in a Venetian Baroque style, is flanked by two symmetrical wings positioned in a half gammadion cross. Sober buildings to the rear house stables, barns and cellars. The front is home to a spectacular Italian-style garden with flower beds lined with boxwood and splendidly trimmed yew trees, enclosed on one side by attractive Romantic-style gardens with an icehouse, caves and centuries-old trees.

Gardens of Villa Pisani in Stra (Venice)

This magnificent monumental complex was built by the Pisani in the early eighteenth century. The architect and scholar Girolamo Frigimelica was charged with project; on his death he was succeeded by Francesco Maria Preti, who designed the imposing villa. The fall of the Venetian Republic and vast debts forced the Pisani family to sell the property to Napoleon in 1807; he gave it as a gift to his stepson, Eugène de Beauharnais, Viceroy of Italy. The villa continued to be used as a royal residence during the Kingdom of Lombardy-Venetia and, after 1866, also by the Kingdom of Italy. The large gardens are the work of Frigimelica, who, in around 1720, drawing inspiration from French gardens, organised the vast area of approximately ten hectares on a principal axis aligned with the villa and intersected by long diagonal axes that lead to huge monumental gateways. To the east, the avenues meet at the hexagonal arched exedra pavilion, close to the famous maze, with a central belvedere tower, and the *Kaffeehaus*, a classicising pavilion that conceals the icehouse underneath. The stables are aligned with the villa and provide a spectacular backdrop.

Gardens of Villa Brusoni Scalella in Dolo (Venice)

The gardens of Villa Brusoni Scalella must surely be some of the most fascinating and mysterious on the Brenta Riviera. The coherence of the design and the ingenuity of the complex water system suggest the hand of an expert designer, sometimes named as the architect Giuseppe Jappelli. The manor house and open barns, *barchesse*, and an oratory probably date from the seventeenth or eighteenth century. In addition to the extraordinary presence of water, the gardens also include many distinctive elements of landscaping style: in terms of the composition, there is a careful alternating of space and volume, gently embanked sections of land compete to create new visuals, winding tracks open up intriguing perspectives, while paths and watercourses are constantly interwoven. A number of typical architectural structures of the time also make certain areas more picturesque: the Fisherman's Cabin on the shores of the lake, the neo-Renaissance tower on top of the hill, the icehouse with access to the Gothic arch and the Deer House. The gardens are also of considerable interest from a botanical perspective.

Gardens and grounds of Villa Pisani, also known as "La Barbariga" in Stra (Venice)

The first historical information dates back to the late sixteenth century. The villa has undergone transformations and extensions over the years and, in the final decades of the eighteenth century, Pietro Vittore Pisani added two long neo-classical arcaded wings to the main building. In the early nineteenth century, Chiara Pisani, wife of Giovanni Barbarigo, decided to transform the surrounding area into an English garden and commissioned the architect Gianantonio Selva, one of the most prominent exponents of the neo-classical style in the Veneto. Countess Pisani, after the early death of her only son, Alvise, retired here and devised the gardens to give employment to the many labourers in search of work. The large estate soon became famous, also for its hare hunts, which came to an end with large dinners beneath the arcades to which all the local residents were invited. The meticulous layout of the plants reflects the typical stylistic canons of the Romantic garden. The gardens have come down to us with their original beauty largely intact, and retain many of the elements that characterise them as some of the most attractive landscaped gardens in the Veneto.

Gardens of Cà Dolfin Marchiori in Lendinara (Rovigo)

The large palace, which belonged to the Dolfin family from San Trovaso in the fifteenth century, probably owes its current appearance to a late sixteenth-century design by Vincenzo Scamozzi. It was purchased by Giuseppe Marchiori in 1843. Domenico Marchiori, son of Giuseppe and great-great-grandfather of the current owners, followed his artistic vocation and dedicated himself to painting and creating these extraordinary landscaped gardens. They were expertly designed as a series of episodes that his guests could follow by boat, along a waterborne route. This route begins with the caves, which are followed by the Fisherman's Cabin, the Roman ruins, the so-called *cavana,* or boat shelter, the Japanese House and the Chinese Pagoda. A monumental neo-Gothic gateway gives way to a majestic avenue lined with hornbeam trees that leads to the lake. The scene is dominated by a neo-Gothic tower, the door of which provides access to the icehouse. Back towards the palace, you will come across the Island of Poetry, a formal garden surrounded by water and decorated by old trimmed yew trees and two elegant neo-classical greenhouses. The gardens highlight the expert use of botanical species that produce extraordinary plays of perspective and refined colour combinations throughout the seasons.

Bibliografia

Testi storici e fonti iconografiche

Doni A.F., *Le ville del Doni*, Bologna. Alessandro Benacci, 1566

Palladio A., *I quattro libri dell'architettura,* Venezia, Dominico de' Franceschi, 1570

Gallo A., *Le vinti giornate dell'agricoltura e de' piaceri della villa*, Camillo e Rutilio Borgominieri, Venezia,1572

Scamozzi V., *L'idea dell'architettura universale,* Venezia, 1615

Volkamer J.C., *Nürbergische Hesperides*, Nürnberg, 1708

Coronelli V., *La Brenta quasi borgo della città di Venezia...*, Venezia, 1709

Volkamer J.C., *Continuation der Nürbergischen Hesperidum*, Nürnberg, 1714

Costa G.F., *Delle delicie del fiume Brenta espresse ne' palazzi e casini situati sopra le sue sponde*, Venezia 1750 e 1762

Brocchi A., *San Sebastiano. Villa suburbana a Vicenza della nobile famiglia Valmarana,* Vicenza, G.B. Vendramini Mosca, 1785

Pindemonte I., *Dissertazione sui Giardini Inglesi*, Padova, Accademia di Scienze Lettere de Arti, 1792

Beltrame F., *Versi per le nozze Verlato Valmarana,* Vicenza, Bettin Roselli, 1828

Caregaro Negrin A., *Scritti sui giardini,* (1821-1898) (a cura di B. Ricatti), Torino, Umberto Allemandi Editore, 2005

Bibliografia recente

Azzi Visentini M., *Il giadino veneto. Dal tardo medioevo al Novecento*, Milano, Electa, 1988

Azzi Visentini M., *Il giardino veneto tra Settecento e Ottocento*, Milano, Il Polifilo, 1988

Barocco A., *Il destino dei nani di Villa Valmarana*, Lecce, Pensa Multimedia, 2013

Cecchetto G. (a cura di), *Conoscere Bolasco*, Atti del Convegno, Città di Castelfranco Veneto, 2011

Conforti Calcagni A., *Bellissima è dunque la rosa. I giardini dalle signorie alla Serenissima,* Milano, Il Saggiatore, 2003

Conforti Calcagni A., *Bei sentieri, Lente acque. I giardini del Lombardo-Veneto,* Milano, Il Saggiatore, 2007

Cunico M., Giulini P. (a cura di), *Nei giardini del Veneto,* Milano, Edizioni Ambiente, 1996

Fagiolo M., Giusti M., *Lo specchio del paradiso, Il giardino e il sacro dall'Antico all'Ottocento,* Cinisello Balsamo, Silvana Editoriale, 1998

Mosser M., Teyssot G., *L'architettura dei giardini d'occidente*, Milano, Electa, 1990

Rallo G. (a cura di), *I giardini della Riviera del Brenta*, Venezia, Marsilio, 1995

Simonds M., *La contessa Pisani,* Treviso Editrice Santi Quaranta, 2013

Tagliolini A., *Storia del giardino italiano,* Firenze, Ponte alle Grazie, 1994

In copertina
Villa Arvedi a Cuzzano (Verona)

Silvana Editoriale

Direzione editoriale
Dario Cimorelli

Art Director
Giacomo Merli

Redazione
Paola Rossi

Impaginazione
Donatella Ascorti

Traduzioni
Contextus s.r.l., Pavia (Laura Bennett)

Coordinamento organizzativo
Michela Bramati

Segreteria di redazione
Emma Altomare

Ufficio iconografico
Alessandra Olivari, Silvia Sala

Ufficio stampa
Lidia Masolini, press@silvanaeditoriale.it

Silvana Editoriale S.p.A.
via Margherita De Vizzi, 86
20092 Cinisello Balsamo, Milano
tel. 02 61 83 63 37
fax 02 61 72 464
www.silvanaeditoriale.it

Le riproduzioni, la stampa e la rilegatura
sono state eseguite in Italia
Finito di stampare
nel mese di novembre 2014